弁護士
裁判所
裁判
プログラマー
検察官
図書館
司書
建築士
建築士事務所
消防官
（救急隊員）
警察署
POLICE
警察官
弁護士事務所
弁護士

建築士の一日

暮らしを支える仕事 見る 知る シリーズ

保育社
HOIKUSHA

はじめに

建築士の仕事って、どんなもの？

安全で快適に暮らせる社会を建築を通して実現します

学校や病院、住宅、マンション、ビル、工場など、私たちが暮らす社会には、多くの建物が存在します。それらを設計しているのが建築士です。

建築物を設計するには、デザインだけでなく、構造、安全性、環境《かんきょう》、法令への適応など、さまざまな要素を考える必要があります。そのため、一定の規模以上の建築物の設計は、建築士の国家資格をもつ人にしかできません。

建築士は、設計のほかに、建築工事への立ち会いや検査なども行い、建築物の安全性を確保しています。新たな建物を創造することはもちろん、古くなった建物のリフォームや、まちづくりの計画など、その仕事は幅広《はばひろ》いものです。

いわば、建築のすべてにかかわる建築士。専門的な知識に加え、社会のなかで建築がどうあるべきかを考える、広い視野が求められます。

文化や未来の生活も視野に入れ、生活を支えるプロフェッショナル

建物が完成してからも、建築士の仕事は続きます。必要な設備に不具合はないか、大きな災害にたえられる構造になっているかなど、建物の状態をチェックする検査や診断《しんだん》を行うことも、建築士の重要な役割です。建築士に求められる能力や責任は大きく、社会になくてはならない存在なのです。

建物は世代を超《こ》えて引きつがれていくものですが、今後ますます人びとのライフスタイルは大きく変化していくでしょう。地球にやさしい建築設計で、豊かな文化や経済活動を守ることも、より重要になっていきます。

建築を通して、人びとの生活を守り、夢や希望をかなえることのできる建築士は、これからも大いに活躍《かつやく》が期待される職業です。

目次

Part 1

建築士の一日を見て！ 知ろう！

インタビュー編 いろいろな場所で働く建築士

Part 2 目指せ建築士！ どうやったらなれるの？

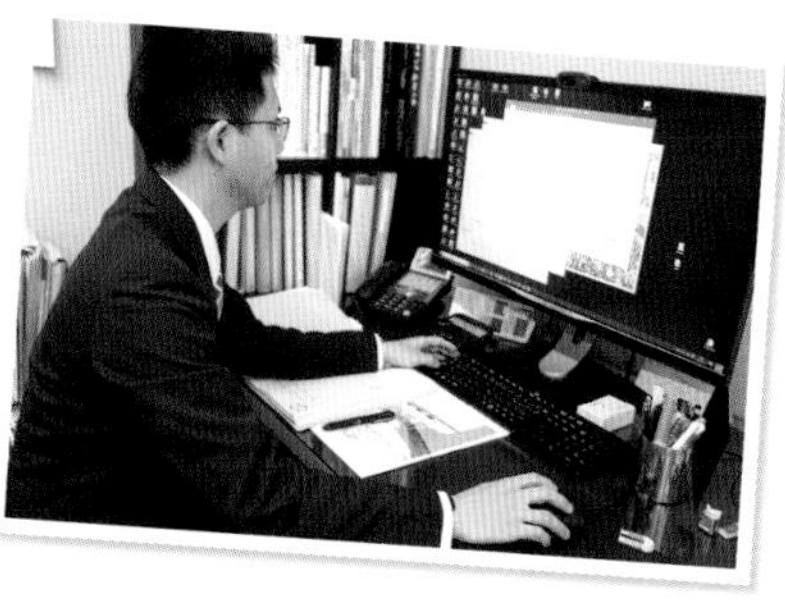

※この本の内容や情報は、制作時点（2020年5月）のものであり、今後変更が生じる可能性があります。

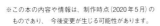

建築士の仕事場

建築士は、建築士事務所のほか、建設会社、工務店、住宅メーカーなど、建築にかかわるさまざまな場所で働いています。

建築士事務所

建築士は、設計や工事監理《かんり》(26ページ)を仕事として行う場合、必ず建築士事務所に所属します。建築士が自ら事務所を開くことも可能です。事務所の規模や得意とする分野は多種多様。「建築設計事務所」「設計事務所」といった名前をつけているところもあります。建設会社や住宅メーカー、工務店などの中にあって、設計を担当する部署も、建築士事務所として登録しています。

建設会社・工務店

建築工事を請《う》け負《お》う会社。建設会社は比《ひ》較的《かくてき》大規模な工事にたずさわることが多く、設備工事もふくめた工事一式をまとめて請《う》け負《お》う形が多く見られます。工務店は住宅など建物の建築工事をおもに行います。建築士の資格をもつ人は、設計を担当する部署で働いたり、工事の現場で現場監督《かんとく》(25ページ)を務めたりしています。

住宅メーカー

住宅の設計、施工《せこう》(工事を行うこと)、販《はん》売《ばい》を行う会社。建築士は、設計の仕事にたずさわるほか、お客さんの相談に乗り、建築物についての希望を設計に反映させる営業職としても働いています。

国・地方自治体

建築士の資格をもつ人が、公務員として、建築や都市開発に関連する部署で働いています。設計や工事に直接たずさわることはありませんが、公共事業の計画立案や工事内容のチェック、建築確認《かくにん》（19ページ）や検査に関する業務、違法《いほう》な建築物への指導や処分など、さまざまな仕事があります。

指定確認《かくにん》検査機関

国土交通大臣や都道府県知事の指定を受け、建築基準法にもとづいて、建築確認《かくにん》（19ページ）や検査を行う民間の機関。建築士は、建築に関する各種の調査や評価を行います。

不動産会社

ディベロッパーと呼ばれる、土地や街の開発にたずさわる不動産会社では、建築物の企画《きかく》や設計などを担当する建築士が働いています。

建築設備会社

電気や空調、給排水《きゅうはいすい》といった設備の専門工事をになう会社。設備設計を専門に行う建築士が働いています。

インテリア関連会社

建築士の知識や技能をいかして、室内空間の設計を専門とするインテリアプランナーやインテリアコーディネーターとして活躍《かつやく》したり、家具や照明のデザインにかかわったりする人がいます。

建築物ができるまで

建築士は、個人や会社から依頼《いらい》を受けて、建築物の設計から完成までにかかわります。
建築物ができあがるまでの具体的な仕事のプロセスを見てみましょう。

STEP 1 建築相談

まずはお客さんから建築相談を受けるところからスタート。どんな土地にどんな建物を建てたいのか、予算はどのくらいかなど、さまざまな希望や条件を聞きとったり、調べたりします。

お客さんと建築士がおたがいを知り、建築プランを練り上げていく、大切な工程です。

STEP 2 プランの確定、契約《けいやく》

相談にもとづいて、大まかなプランをいくつか提案。気に入ったところや改善すべきところを話し合ってイメージを共有し、プランが確定したら、お客さんと正式に契約《けいやく》を結びます(契約《けいやく》のタイミングはケースによって異なります)。建築士は、お客さんに代わって設計や工事監理《かんり》などを行う立場になります。

STEP 3 基本設計

関係法令とも照らし合わせ、プランを具体的な設計に落としこんでいきます。平面、空間の構成、各部の寸法や面積、備えるべき機能などを検討。すべてを総合して建築物をデザインします。大まかな工事費を見積もり、必要があれば予算に合わせて設計を調整することも。

STEP

4 実施設計《じっし》

　工事の実施《じっし》に向けて、よりくわしい図面を作成します。建築物の構造や設備についても、細かい設計を決定します。

　また、ここで作成した設計図の一部を使って建築確認申請《かくにんしんせい》（19ページ）の手続きを行い、建築確認《かくにん》を受けます。建築確認《かくにん》を受けて初めて、工事を開始することが可能になります。

STEP

5 着工、工事監理《かんり》

　設計図をもとに工務店や建設会社に工事費の見積もりを出してもらい、工事内容に適した業者を選定。工事を担当する業者が決定したら、いよいよ着工（工事を始めること）です。

　工事期間中、建築士は業者に設計の内容や意図を伝え、工事が適切に行われているかどうかをチェックします。これが工事監《かん》理《り》という仕事です。

STEP

6 工事完了《かんりょう》、引きわたし

　建築工事が完了《かんりょう》したら、工事を担当した業者と、監理者《かんりしゃ》である建築士が最終チェック。さらに、建築基準法に定められた完了《かんりょう》検査を終えると、建築物が使用できるようになります。不具合がないかどうか、建築主であるお客さん自身に確認《かくにん》してもらい、建築物を引きわたします。

　引きわたし後も、建築士は定期点検やメンテナンス、リフォームなどにかかわります。

建築士大《だい》解《かい》剖《ぼう》！

建築士はいつもどんなスタイルで、どんなものを使って仕事をしているのでしょう。服装や仕事に欠かせない道具を紹介《しょうかい》します。

事務所では…

服装は職場によってさまざま。男性はスーツの人も多いが、ノーネクタイのカジュアルな洋服で仕事をする人もいる。人と接する仕事なので清潔感が大切。

建設現場では…

工事中の建築物のチェックなどを行うため、動きやすく汚《よご》れが気にならない作業着に着がえます。ものが落ちてきたりする危険もあるので、ヘルメットも必須《ひっす》です。

よく使う道具

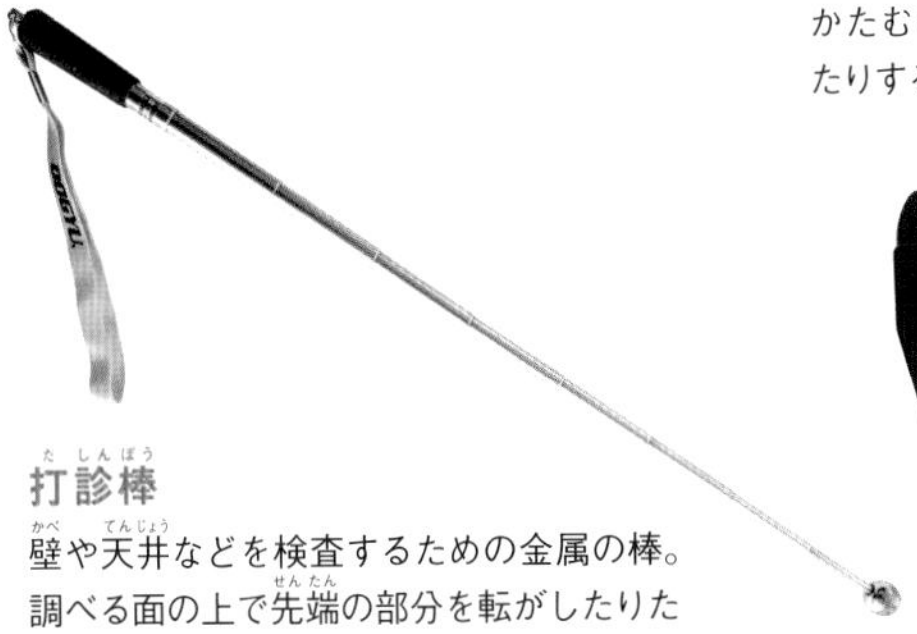

打診棒《だしんぼう》

壁《かべ》や天井《てんじょう》などを検査するための金属の棒。調べる面の上で先端《せんたん》の部分を転がしたりたたいたりして、打音から状態を判断する。

水平器

ものが地面に対して水平になっているかどうかを調べたり、かたむき具合を測ったりするための道具。

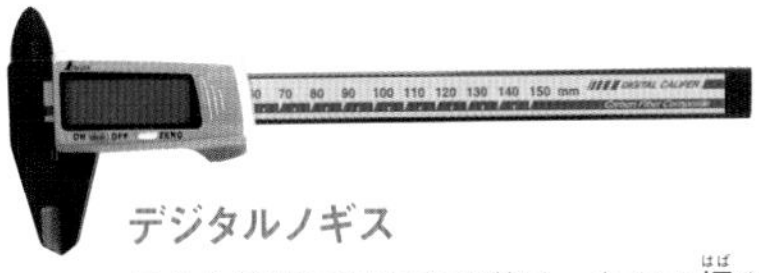

デジタルノギス

長さを精密に測定する道具。ものの幅《はば》や厚さ、深さなどを測ることができる。

懐中電灯《かいちゅうでんとう》

検査などで建物や建設現場を調べるときに使う。

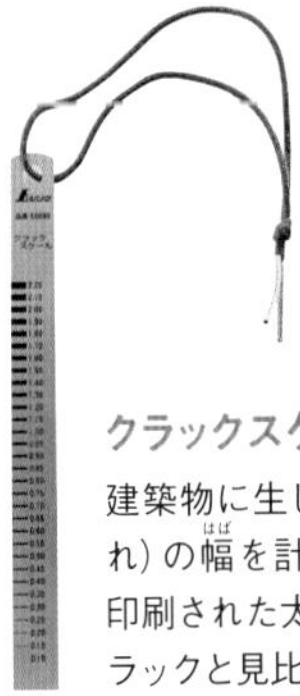

クラックスケール

建築物に生じたクラック(ひび割れ)の幅《はば》を計測するための定規。印刷された太さのちがう直線をクラックと見比べてはかる。

360度カメラ

1回のシャッターで全方位を撮影《さつえい》できるカメラ。土地や建物、建設現場のようすを記録、確認《かくにん》するのに使う。

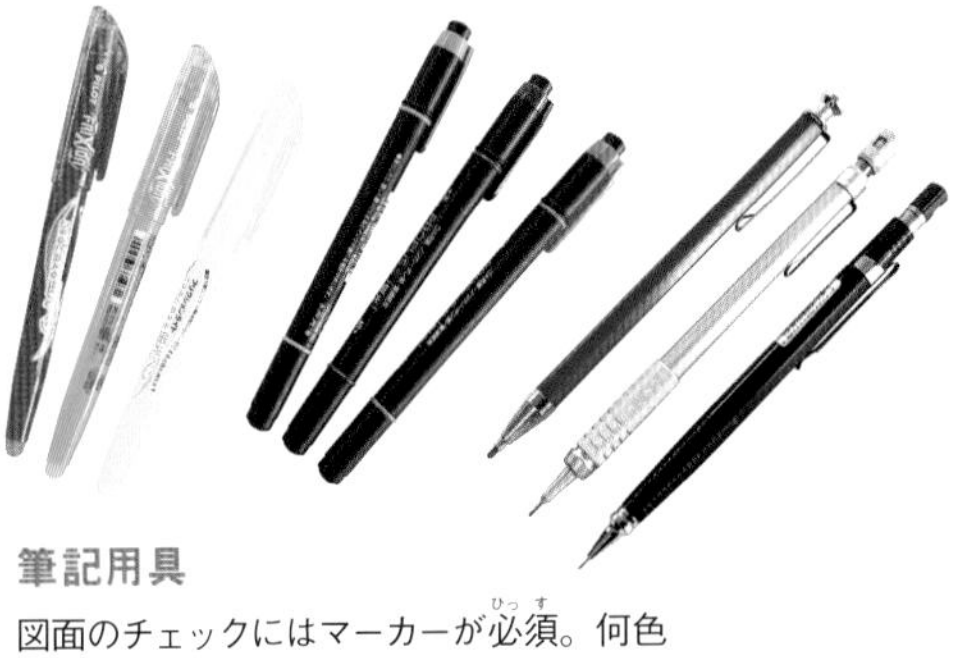

筆記用具

図面のチェックにはマーカーが必須《ひっす》。何色も使って色分けする。製図用シャープペンシルは、きれいに線が引けるよう重心の位置や重さなどが調整されている。

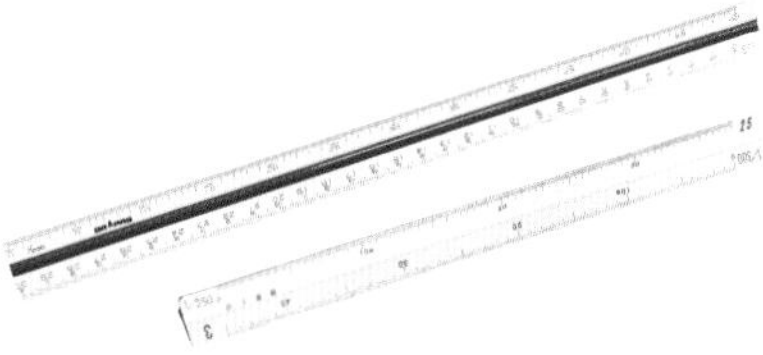

三角スケール

三角柱の形をした定規。3つある面の両側に、それぞれ縮尺のちがう目盛りがついているので、1本で6種類の縮尺の図面に対応できる。

暮らしを支える建築物をつくるために…

建築物は、人びとの暮らしに欠かせないもの。デザインが美しければよいというものではありません。建築士は人間の生活について深く考えながら建築物を設計しています。

使いやすい建築物をつくるには、人や物の動きを考慮《こうりょ》することが重要

実際に建物が使われるときには、その中で人が活動することになります。設計の際には、建物を使う人がどんな行動をとるのかを予測して、使いやすい広さを確保したり、部屋や設備の配置を整えたりすることが大切です。

そのためには、座る、かがむ、歩くといった人間の動きだけでなく、車いすやベビーカーなどの道具を用いる場合に必要なスペースについても分析《ぶんせき》したり、計算したりすることが求められます。

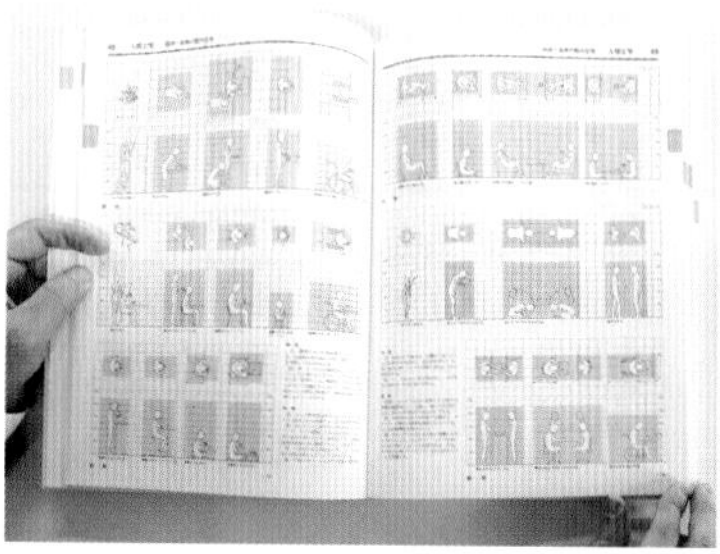

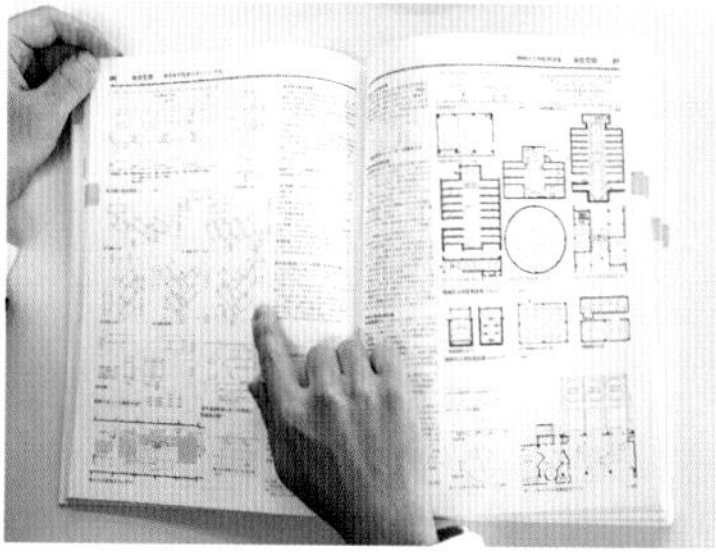

実際に人が動作をしたときや、車を動かしたときなどに、どのくらいのスペースが必要になるか、目安を示した資料集も参考にします。

建築に関する多くの法令を守り、人びとの安全な暮らしを支えます

建築物を建てるときに守るべき最低限の基準や手続きを示した「建築基準法」(19ページ)のほかにも、消防法、省エネルギー法、バリアフリー新法や、住宅関連のさまざまな法律など、設計の際に守らなければならない法令は、じつに数多く存在します。

しかも、法令はたびたび改正されるため、常に最新の情報を知っておかなければなりません。建築士は、その都度《つど》、新しい法令集を用意して、参照しながら仕事にあたっています。

Part 1

建築士の一日を見て！ 知ろう！

建築士事務所に勤務し、
建築物の設計や工事監理《かんり》にたずさわる
建築士の一日に密着！

取材に協力してくれた
建築士さん

幾島《いくしま》 太郎《たろう》さん（29歳《さい》）

一級建築士事務所
株式会社 がもう設計事務所
一級建築士

Q どうして建築士になったのですか？

超《ちょう》高層ビルが好きで、小学生のときに、まちづくりゲームにはまったのがきっかけです。ゲームを通して世界中の有名な建築物も知り、建築への興味が深まりました。

工業高校の建築学科を卒業後、専門学校に進み、二級建築士資格を取得。建設会社に勤務して現場監督《かんとく》などの実務経験を3年ほど積み、一級建築士資格を取得。その後、学生時代にアルバイトでお世話になったこの事務所に就職し、4年目です。

Q この仕事でやりがいを感じることは？

いちばんのやりがいは、建築物が完成してお客さまに喜んでもらえることです。最近は、自動車のショールーム、高齢者《こうれいしゃ》施設《しせつ》などを担当しています。建築物をつくるときは、打ち合わせを重ねてお客さまの希望をくみとることが大切。自分で設計し、何度も工事に立ち会った建築物が完成したときの達成感は大きく、お客さまが実際にそれを使って、「気に入りました！」と言ってくれたときの喜びは格別です。

ある一日のスケジュール

8:45 出勤、ミーティング
▼
9:00 デスクワーク
▼
10:30 施主《せしゅ》と打ち合わせ
▼
12:00 昼休み
▼
13:00 定例会議
▼
14:30 現場のチェック
▼
16:00 設計図の作成
▼
19:00 退勤

建築士事務所ってどんなところ？

8:45 出勤、ミーティング

おはようございます！

午後、現場での立ち会いがあります
その前に物件の打ち合わせをしておこう

それぞれに別の建築物を担当していることが多いので、毎朝、一人ずつ仕事の進み具合や進め方を報告・共有しています。

建築物の設計や工事監理《かんり》など、さまざまな業務を行っています

朝、事務所に出勤したら、まずは全員でミーティングをします。この事務所では、建築士の資格をもつ人、実務経験を積みながら資格取得を目指している人、事務スタッフなど、全部で10人ほどが働いています。

建築士がお客さんから依頼《いらい》を受けて業務を行うには、必ず建築士事務所に所属していなければならないと、法律で決まっています。この事務所は、建築物の全体像やデザインを設計する「意匠《いしょう》設計」を行う一級建築士事務所（※）です。

建築の設計には、意匠《いしょう》設計のほかに、建物の土台や骨組みなど強度・安全にかかわる設計を行う「構造設計」、電気・水道・空調などの設備を設計する「設備設計」といった要素があります。すべてを一貫《いっかん》して行う事務所もありますが、それぞれの設計を専門とする複数の事務所で分担するのが一般的です。

※一級建築士事務所：一級建築士が所属する建築士事務所。所属する建築士の資格によって二級建築士事務所、木造建築士事務所もある。

9:00 デスクワーク

? 建築士の仕事はデスクワークが多いの？

現場からの問い合わせには、すぐに回答しないと作業が止まってしまうので、すばやくかつ正確に対応。必要があれば現場に出向くこともあります。

申請《しんせい》に
必要な書類の
準備をしよう

建築には必要な書類も多く、設計図の作成や図面のチェックも合わせると、仕事の7割近くはデスクワークです。

関係者との電話やメール、書類の作成やチェックも必要です

ミーティングが終わると、自分のデスクでメールチェックや電話応対。工事をになう施《せ》工《こう》業者、施主《せしゅ》（建築の依頼主《いらいぬし》）、建築資材メーカーの担当者などとやりとりをします。

例えば、工事を進めている現場監督《かんとく》から、「設計図のこの部分について、くわしく教えてほしい」「実際に職人がやってみると、どうもうまくいかない」と、問い合わせが入ることもあります。建築にたずさわる全員が、スムーズに正確に仕事を進められるよう、建築士は、設計の責任者として、すばやく的確に対応しなければなりません。

また、建築物を建てる際の基本的なルールは「建築基準法」という法律に定められていますが、その土地ならではの決まりもあるので、消防署や市役所・区役所などに直接話を聞きに行ったり、必要な書類を作成したりするのも、建築士のだいじな仕事です。

COLUMN

建築物を建てるにはルールがある！

建築物そのものや、周辺環境《かんきょう》との関係について、
最低限守るべき基準が「建築基準法」によって規定されています

自分が所有する土地に、自分のお金で家を建てる場合でも、自由に好き勝手に建てることはできません。建築は、暮らしと深くかかわるもの。人びとの生命や健康、財産を守るために、建築物をつくる際には守らなければならないルールがあるのです。

建築物が保つべき最低基準について定めているのは、「建築基準法」という法律です。この法律では、建築物の安全性や耐久性《たいきゅうせい》、防火などに関する基準が事細かに定められています。

また、建築はまちづくりとも密接な関係があります。土地は用途《ようと》によって住居専用地域、商業地域、工業地域などに分かれていて、地域ごとに、そこに建ててもよい建物の用途《ようと》、大きさ、高さといった条件が決まっています。例えば、住居専用地域と定められている土地に工場を建てることはできません。建築基準法には、こうした周辺環境《かんきょう》との関係についての規定も明記されています。

これからつくろうとしている建築物が、法令が定める基準に適合したものであるかどうかを確認《かくにん》するために行う手続きが、「建築確認申請《かくにんしんせい》」です。建築工事に着手する前に、建築主、つまり施主《せしゅ》は、地方自治体の担当機関もしくは民間の指定確認《かくにん》検査機関（9ページ）に、所定の書類を提出し、確認《かくにん》を受けなければなりません。この手続きについても、建築基準法で定められています。

建築士は、複雑で細かいルールをすべてクリアする設計プランを立てるとともに、手続きに必要な書類や図面の手配も行います。

10:30

施主《せしゅ》との打ち合わせ

依頼《いらい》を受けたら、まずは何をするの？

施主《せしゅ》
気に入ってもらえたみたいだな
この案がいいと思う。家族の意見をきいてみます

建築にかかる費用についても、ほかの建物の例などを参考に案内します。なるべく施主《せしゅ》の希望をかなえると同時に、予算内におさまるよう設計することも必要です。

施主《せしゅ》の話に耳をかたむけ、建物のイメージをふくらませます

建築の依頼主《いらいぬし》のことを「施主《せしゅ》」といいます。建築は、施主《せしゅ》が建築士に相談をすることから始まります。まずは、どんな建物を建てたいのか、施主《せしゅ》の話をよく聞いて全体像をつかむことがとても大切です。

建築士が設計するのは、住宅やオフィス、商業施設《しせつ》、福祉施設《ふくししせつ》など、規模も用途《ようと》もじつにさまざま。「マイホームを建てたい」という依頼《いらい》一つとっても、家族構成やライフスタイルのちがいによって、暮らしやすい住まいはそれぞれにちがいます。ていねいな打ち合わせを重ねながら、建物のイメージをどんどんふくらませてアイデアを提案していくのも、建築士の腕《うで》の見せどころといえるでしょう。

はじめは、建物の外観のイメージを固め、続いて建物の内部の間取《まど》り、窓の位置や階段など具体的な設計について、くり返し打ち合わせを重ねながら決めていきます。

打ち合わせで気をつけていることは?

3D画像を示しながら、建物の外観イメージを提案。いくつかのプランを提案し、理想のイメージに近いものを追求していきます。

建物に使用する資材の特徴《とくちょう》をわかりやすく説明するのもだいじな仕事。サンプルを実際にさわって、質感を確かめてもらいます。

建築を通して、施主《せしゅ》の希望をいっしょに考えていくこと

建築は、建物を完成させれば終わりではありません。完成した建物は長い年月にわたって人びとに利用され、時代を経ても残るもの。だから、建築士は、その建物の未来までも見すえて設計します。

例えば、個人の住宅の場合、今は子どもが1人だけれど、きょうだいが増えたときには、子ども部屋を仕切って2部屋にできるようにしておくなど、施主《せしゅ》のライフプランもふまえた形を考える必要があるのです。

そのためには、施主《せしゅ》の暮らしや目的について、受け身で話を聞くだけでなく、いっしょに考えていくことがだいじです。建築士は、建築のプロとして、それらを反映させた設計を提案します。豊富な知識や経験をもとに、安全性や機能性、予算、耐久性《たいきゅうせい》など、いくつもの条件をクリアしながら、施主《せしゅ》の理想をかなえるプランを組み立てていきます。

12:00 昼休み

先輩《せんぱい》たちと建築の話や世間話をしながら昼食をとって、ほっと一息。

どうやって建築のプランを立てるの？

本や雑誌などの資料から設計のヒントを得たり、カタログから資材のサンプルを集めたりして、積極的に情報を収集していきます。

蓄積《ちくせき》した情報や経験をもとに、オーダーメイドで設計

建築のプランは、施主《せしゅ》の要望をふまえて、オーダーメイドで設計するのが基本です。多くの経験を積んだ建築士でも、毎回悩《なや》みながら、じっくりと時間をかけてプランを練り上げていきます。

その際に役立つのは、日ごろから蓄積《ちくせき》した情報や経験です。本や雑誌を読んで流行や最新の情報を得ることはもちろん、日常生活のなかでも、建物の設備や材料、配置など、建築のヒントになりそうなものを見つけてはノウハウを吸収するよう心がけています。休日には、国内外の建築物に足を運び、写真におさめたり、実際に見てふれて学んだりすることも少なくありません。建築士同士で情報交換《こうかん》することもあります。

よりよいプランを提案するため、建築士には、自分の中にデータベースを構築し、日々更新《こうしん》していくことが必要不可欠なのです。

COLUMN

施主《せしゅ》の希望を形にするために…

専門的な知識と発想力で、漠然《ばくぜん》としたイメージを具体的な形に変換《へんかん》。何もないところから、理想にかなう設計を考え、提案します。

建築設計は、ゼロから形をつくり上げていく仕事。「よい建築物」の答えは、建物の用途《ようと》、使う人の生活スタイル、周囲の環境《かんきょう》などによっても変わってくるため、決して一つではありません。施主《せしゅ》の希望をかなえる建築物をつくるために、まず必要なのは、徹底的《てっていてき》に話を聞くことです。個人の住宅であれば、建物に関することに限らず、日ごろの暮らしぶりや趣味《しゅみ》、こだわりなど、一見建築とは関係ないことについても、とことん話を聞き、あらゆる情報を引き出していきます。

そうして引き出した情報を、実際の設計として具体的な形に落としこんでいくときに、建築士の力が発揮されます。例えば、「なるべく家族がいっしょに過ごす時間を増やしたい」という話を聞いたなら、間取《まど》りをくふうしたり、開放感のある空間づくりをしたりして、家族が自然とリビングに集まるような設計を考えます。壁《かべ》や床《ゆか》の材料に、ぬくもりを感じられる素材を用いるのもよいかもしれません。さまざまな視点から、希望を具体的な形にしていきます。もちろん、予算や法的な制限も同時にクリアする必要があります。こうした提案は、建築に関する専門的な知識と経験、柔軟《じゅうなん》な発想力があって、初めてできることです。

建築相談を受けたり、打ち合わせを行ったりしている時点では、建物の実物はまだ何も存在しません。実際の仕上がりをイメージしてもらえるよう、図面に加えて3D画像や模型なども活用し、なるべく具体的に提案していきます。

13:00

定例会議

建設現場に足を運ぶこともあるの？

工事にたずさわるそれぞれの担当者が集まり、工事のスケジュールを確認《かくにん》したり、疑問や問題点を洗い出して、解決のアイデアを出し合ったりします。

月に何度も足を運び、打ち合わせや現場のチェック

建築士が作成した図面をもとに、実際に建築物を建てる工程を「施工《せこう》」といいます。施工《せこう》を担当する施工《せこう》業者としては、建設会社や工務店などが一般的《いっぱんてき》です。

建築士は、施工《せこう》の段階にも深くかかわっています。毎週、担当する現場へ足を運んで状況《じょうきょう》をチェック。月に一度は、工事の進み具合などを確認《かくにん》するため会議も行います。

会議には、施工《せこう》業者の現場監督《かんとく》（25ページ）のほか、電気、給排水《きゅうはいすい》、機械といった各種設備を受けもつ協力会社の担当者が参加します。工事開始後に施主《せしゅ》から要望が追加されたり、現場から設計に関する質問や提案が出てくることもあるため、建築士と施工《せこう》業者、協力会社が一丸となってアイデアを出し合います。建築物の完成度を高めるため、建築士には、設計した図面を何度も見直し、アップデートしていく根気強さも必要です。

? 現場ではどんな人たちが働いているの?

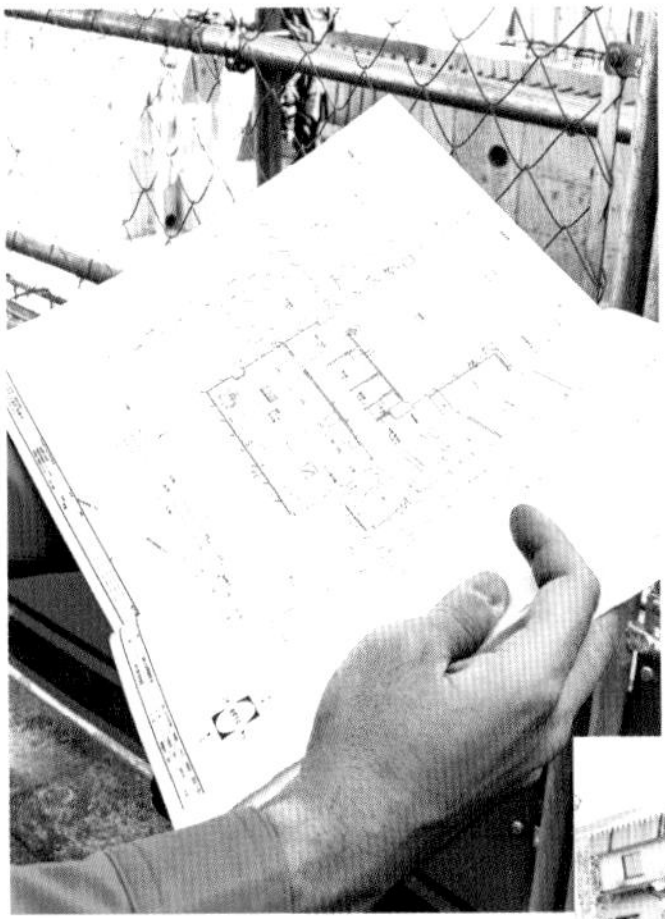

現場では、施工図《せこうず》という図面を使って工事を進めています。施工図《せこうず》は、設計図をもとに、細かい寸法など各部分をよりくわしく表した図面です。

設計した通りに建築物を完成させるために、作業の進め方や注意する点などを、こまめに現場監督《かんとく》と確認《かくにん》し合います。

施工《せこう》業者に加え、各種設備を専門とする協力会社の人たちも

工事現場では、じつにさまざまな人たちが働いています。建物の基礎《きそ》となる鉄骨を組む人、給排水《きゅうはいすい》の配管をする人、エレベーターや照明器具を設置する人……。安全で正確な工事のために、多くの人が一つのチームとして働けるようとりまとめ、現場を管理するのが、現場監督《かんとく》です。

現場では、施工図《せこうず》という図面を使い、現場監督《かんとく》の指示のもと、職人たちの手で工事が進められていきます。

施工図《せこうず》のもとになる設計図は、建築士が施《せ》主《しゅ》との約束や決めごとをまとめたものともいえます。ですから当然、建築物は設計図通りに施工《せこう》されなければなりません。建築士は、建築物が完成するまでの間、工事がまちがいなく行われているかどうか、一つ一つ自分の目で確認《かくにん》します。その際には、現場監督《かんとく》との密な連携《れんけい》が非常に重要です。

14:30

現場のチェック

? なぜチェックが必要なの?

※勾配《こうばい》：かたむきの程度。

雨水貯留槽《ちょりゅうそう》になるから、
排水《はいすい》の勾配《こうばい》※は
しっかりチェックしよう

鉄骨の組み立てをチェック。施工図《せこうず》通りの数で正しい位置に安全に打たれているか、図面と実物を見比べながら、確認《かくにん》作業を進めていきます。

設計図通りの工事が行われているか確認《かくにん》するため

建築物が安全な構造であるかどうかは、完成してしまってからでは内部まで確認《かくにん》することができません。そのため、設計図通りに工事が行われているかどうか、施工《せこう》の段階で厳密に確認《かくにん》する必要があります。この業務を「工事監理《かんり》」といい、建築士は「工事監理者《かんりしゃ》」としての重要な役割をになっています。

工事監理《かんり》は、建築士の資格をもつ人にだけ認められています。建築物の安全性や品質が、常に保たれるように、工事過程のさまざまな段階で現場に立ち会い、計測や検査を行います。設計図や仕様書などの「設計図書」をチェックしながら、自分がいないときの工事のようすについて、実際にどのように施工《せこう》したのかなど、現場監督《かんとく》にくわしく話を聞いたりもします。いわば、施主《せしゅ》の代理人として、工事の技術的な指導を行うのが建築士の務めなのです。

フーチング
高さOK！

建物を支えるための基《き》礎《そ》の一部である「フーチング」と呼ばれる部分をチェック。

どんなところを確認《かくにん》しているの？

確保されているな。
管の口径も
だいじょうぶだ

配管の位置や大きさが正しいか、目で見て計測して、しっかりと確認《かくにん》します。

確認《かくにん》する内容はさまざま。設計プランによっても変わります

地盤《じばん》の調査や強化、鉄筋の組み立て、コンクリートの打設《だせつ》（わくの中に流しこむこと）、配管工事など、施工《せこう》にはいくつもの工程があります。どれも気の抜《ぬ》けない重要な作業。建築士はこまめに現場に足を運び、工事監理《かんり》者《しゃ》としての確認《かくにん》や検査をおこたりません。

工事監理《かんり》の内容は、設計内容や建築物の規模などに応じた合理的な方法を、工事監《かん》理者《りしゃ》である建築士が判断して決めます。毎日、現場に張りついてチェックすることはできないので、目視や計測による立ち会い確認《かくにん》は、施工《せこう》の各段階ごとに行います。例えば、鉄筋を組み立てる段階であれば、材料の規格や寸法、配置する位置や本数、間隔《かんかく》、長さなどを、設計図書と照合して確認《かくにん》。検査結果報告書や材料の品質証明といった書類の確認《かくにん》もあわせて行います。工事監理《かんり》の記録は、報告書にまとめます。

ある日の仕事

法定点検

？ 建築物が完成したあとも検査が必要なの？

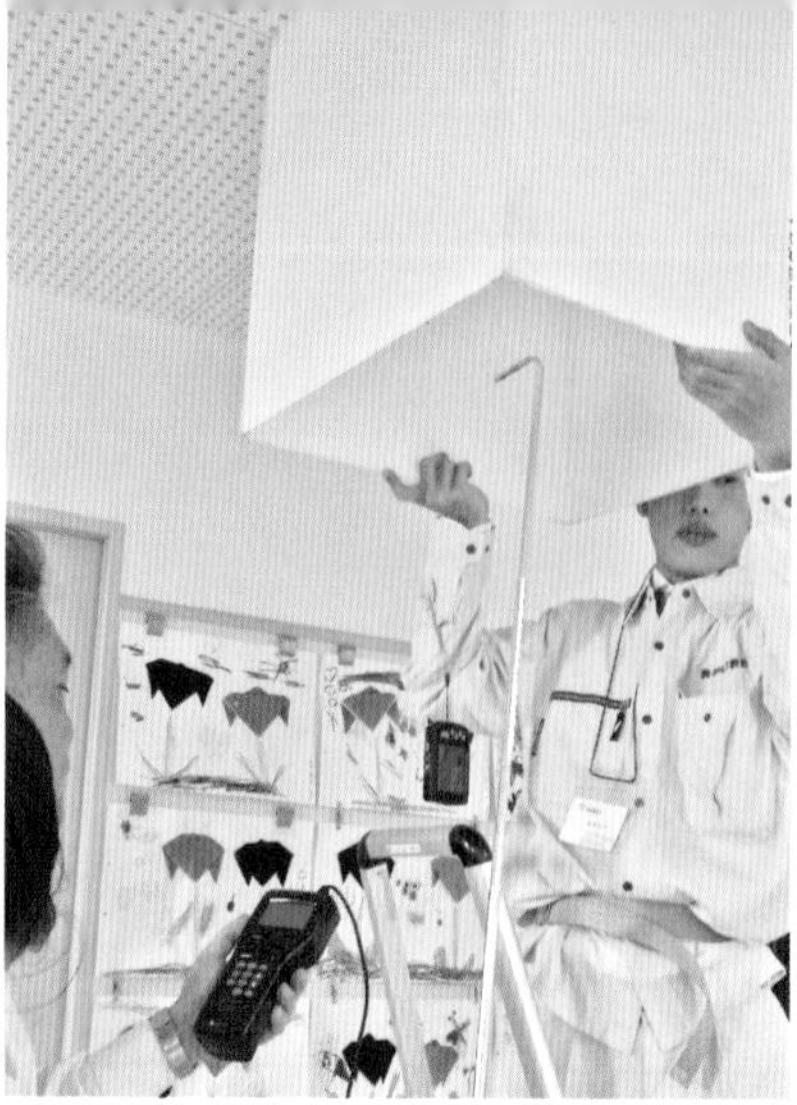

定期報告制度による点検の一つ。建物の内部の換気扇《かんきせん》の風量を計測して、記録します。

ひびが入ってタイルが浮《う》いている状態。程度によっては、補修をして建物の耐久性《たいきゅうせい》を保つ必要があります。

建築物にも定期的な「健康診断《しんだん》」が欠かせません

建築士は、建築物が完成したあとも、安全に快適に使用できるよう、責任をもって見守り続けます。もし、屋根や外壁《がいへき》、緊急時《きんきゅうじ》の防火・避難《ひなん》に関する部分に不備があったり、壊《こわ》れていたりすれば、建築物を安全に使用することはできません。定期的に検査し、プロの目で確かめることが必要です。こうした点検は、建築物の健康診断《しんだん》のようなものです。

法令で定める特定の建築物や建築設備には、建築基準法による「定期報告制度」が適用され、定期的な点検と報告が義務づけられています。この点検は、建築士、または国土交通大臣から資格証の交付を受けた者でなければ行うことができません。

普通の住宅には、定期報告制度は適用されませんが、多くの場合、引きわたし後のアフターサービスとして、数年ごとの定期点検が実施《じっし》されます。

COLUMN

耐震診断《たいしんしんだん》もだいじな仕事

建物が地震《じしん》にたえられるかどうかは、地震《じしん》の多い日本では特に重要。建物の構造的な強度を調査・検討します。

建物は日ごろ、私たちを雨風から守ってくれていますが、大きな地震《じしん》からも人びとを守りきれるでしょうか。「耐震診《たいしんしん》断《だん》」とは、建物が地震《じしん》にたえうるかどうか診断《しんだん》すること。建築の専門家である建築士のだいじな役割です。

地震《じしん》の多い日本では、昔から地震《じしん》に強い建物の調査や研究が行われてきました。建物の地震《じしん》対策にとり組むうえで、最初の大きな転機となったのは、1923年に起きた関東大震災《だいしんさい》です。その翌年、建築基準法の原型ともいえる「市街地建築物法」が定められ、木造住宅や鉄筋コンクリート造の建物を建てるためのさまざまな決まりのなかに、地震《じしん》に対する基準が設けられることになりました。その後も、大きな地震《じしん》が起こるたびに、耐震診断《たいしんしんだん》の基準は見直されています。古い建物は、現在の基準を満たさないおそれがあるため、耐震診断《たいしんしんだん》の実施《じっし》が必要なのです。

耐震診断《たいしんしんだん》では、建築士が必ず現地へ足を運び、建物の基礎《きそ》（建物の土台となり、地盤《じばん》と建物をつなぐ部分）や外壁《がいへき》にひび割れがないか、雨もりをしていないか、地震《じしん》のゆれにたえる耐震壁《たいしんへき》があるかどうかなど、必要な調査と報告を行います。すみずみまでチェックをして、万が一、問題がある場合には、補強工事や改修工事を行うことになります。

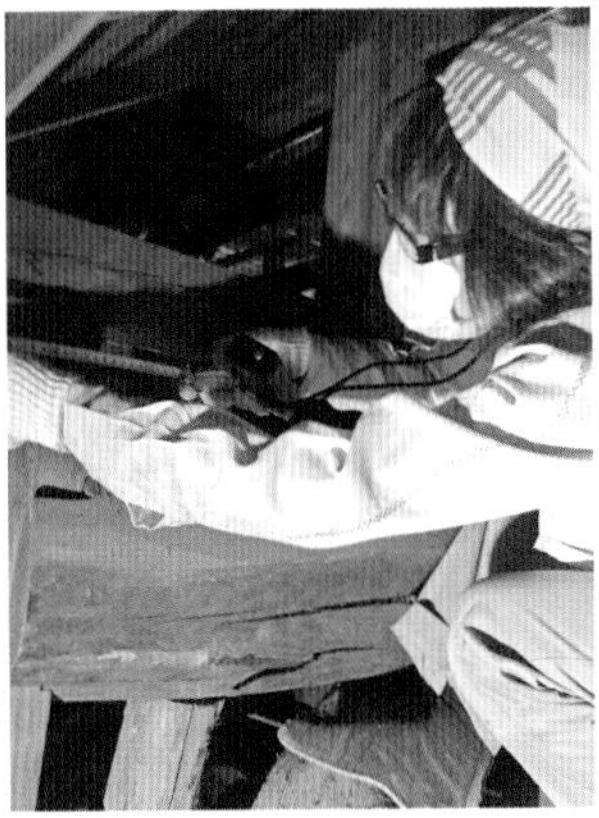

神奈川県横須賀《よこすか》市にある満昌寺《まんしょうじ》というお寺での耐震診断《たいしんしんだん》のようす。お寺のような古い建物にも、現在の基準に合った強度が求められます。天井裏《てんじょううら》に上がって梁《はり》をチェックしたり、床下《ゆかした》に入って基礎《きそ》の状態を確認《かくにん》したりと、すみずみまでよく調べます。

16:00

設計図の作成

設計図には何がかかれているの?

この部屋はもう少し大きくしたほうがいいかな

最初は、手がきで部屋や設備をざっくりと配置。必要な要素を敷地内《しきちない》にどのようにおさめればよいかを検討します。

建築物を建てるために必要なすべての情報がかかれています

設計図は、建築物を建てるために必要なすべての情報がふくまれた図面です。設計図には多くの種類がありますが、基本的なものは平面図、立面図、断面図の3種類です。

実際に設計図を作成する前に、建物を建てる場所に、建築士が自ら足を運んで現地調査を行うのが一般的《いっぱんてき》です。周囲の環境《かんきょう》や、その土地に定められている決まりなどを把握《はあく》し、施主《せしゅ》の要望を加えて、建物の面積や高さを検討します。

建築士がまず初めにつくる設計図は、「エスキース」と呼ばれる平面図の一つです。エスキースは設計図の下絵のような図面で、建物全体の枠《わく》と間取《まど》りなどを線だけでかきこんでいきます。大まかなつくりがつかめたら、続いてパソコンで、外観や機能といった基本設計をしていきます。こうして、次第に建物の具体的な姿が見えてきます。

設計図をつくるとき、苦労することは?

設計図は建築物をつくるための重要な図面。ミスがないよう集中して作成します。ものの形や大きさ、感覚などを立体的にイメージできる空間認《にん》知《ち》能力も求められます。

問題の起きそうな部分がないか…

実際の建物がイメージしやすい3Dの図面(断面図)。携帯《けいたい》電話やタブレット端末《たんまつ》を使って、出先で施主《せしゅ》に見てもらうこともできます。

多方面からの要望や条件を満たさなければならない難しさ

建築物を設計する際には、建築関係の法令による決まりをクリアしつつ、施主《せしゅ》や関係者からのさまざまな要望や意見をとり入れていくことが必要です。ときには、両立することが難しい条件もありますが、くふうをこらして調整し、設計図にまとめていきます。

設計図の作成には、パソコンを使うのが主流です。設計に用いられる代表的なシステムは「CAD《キャド》(※1)」ですが、最近は、平面ではなく3Dで立体的に設計ができる「BIM《ビム》(※2)」というシステムを利用することも増えています。

BIM《ビム》を用いると、一つのデータから、平面・立面・断面とそれぞれの図面を同時に確《かく》認《にん》しながらつくることが可能です。とはいえ、膨大《ぼうだい》で複雑な情報を正確に図面に落としこんでいく設計の作業には、並外れた集中力が求められます。

※1 CAD：Computer《コンピュータ》 Aided《エイデッド》 Design《デザイン》の略　※2 BIM：Building《ビルディング》 Information《インフォメーション》 Modeling《モデリング》の略

さまざまな設計図

設計図は、建築物をつくるうえで欠かせないもの。用途《ようと》や目的によって多くの種類があります。

一つの建物に何種類もの設計図が必要。あらゆる設計内容を表現します

建築の設計には、建築物の全体像やデザインを設計する「意匠《いしょう》設計」、建物の強度を保つために必要な土台や骨組みを設計する「構造設計」、電気・水道・空調などの設備を設計する「設備設計」という大きく3つの要素があり、一つの建築物について、それぞれの設計内容を示す、「意匠図《いしょうず》」「構造図」「設備図」という設計図が必要となります。構造と設備は専門の設計者が担当し、意匠《いしょう》を担当する建築士が建築全体をとりまとめます。

建物の外観、部屋の配置や仕様などを具体的に表すのは意匠図《いしょうず》。建物をさまざまな角度から見た図面を、何種類も作成します。最も基本的なものを見てみましょう。

平面図

建物の各階を真上から見た図面。具体的には、床上《ゆかうえ》1～1.5mの位置で水平に切断した面をえがいたものです。部屋の配置や名《めい》称《しょう》、柱、壁《かべ》、ドアや窓の位置などを明記します。設計する上でいちばん最初にえがかれる、最も重要な図面です。

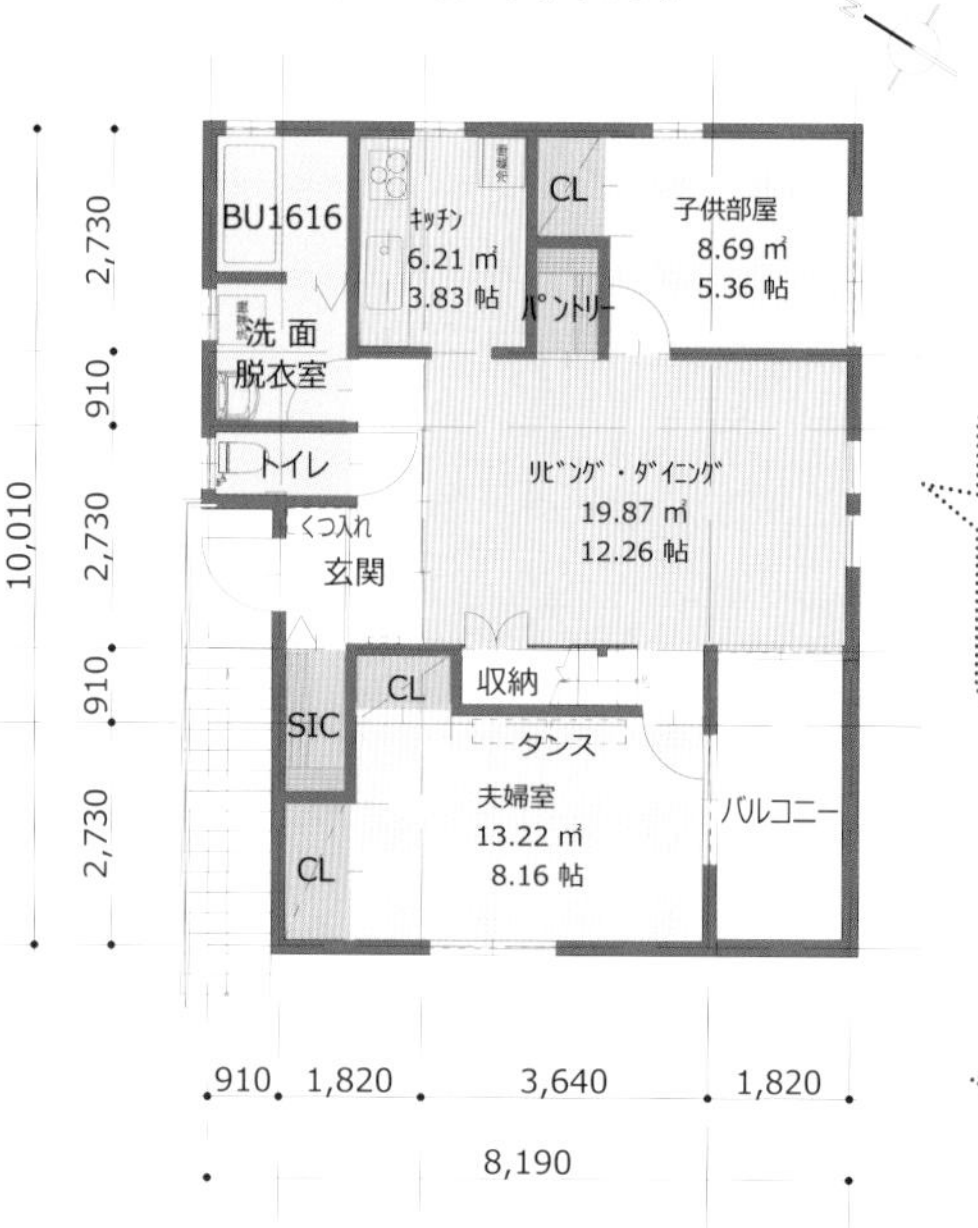

窓やドアといった開口部は、位置や大きさのほか、開き方もわかるように、表し方が決まっています。

平面図などには、主要な部分の寸法をかきこみます。

立面図

建物の外観を表す図面。建物を真横から見たところをえがいたものです。屋根の形や材料、外壁《がいへき》の材料、ドアや窓の位置や形状などがわかります。ほかにも、換気口《かんきこう》、ひさし、バルコニーなど、外から見えるものはすべてえがかれます。正面、両側面、背面と、4面すべての図面を作成します。

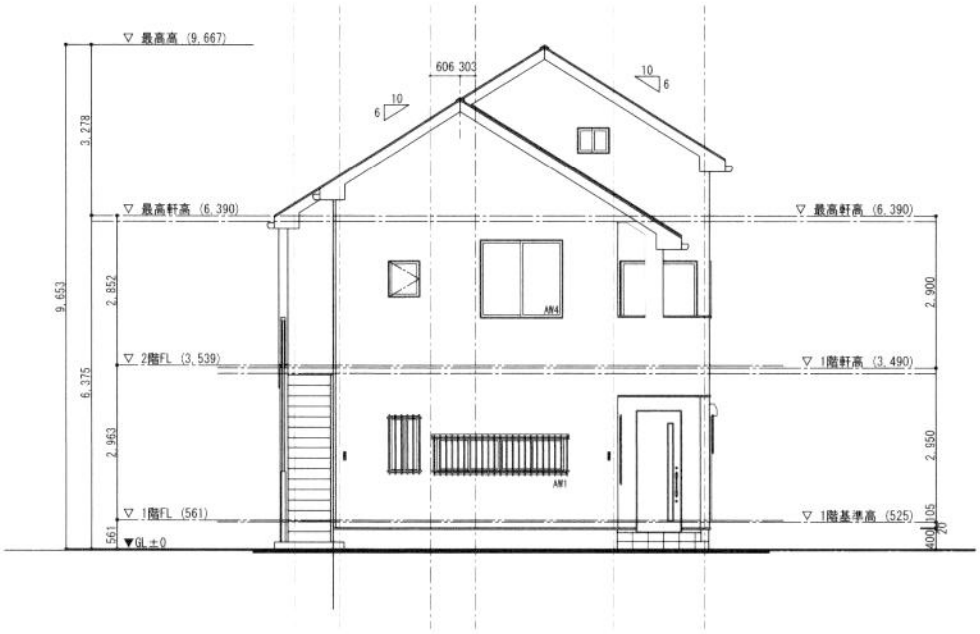

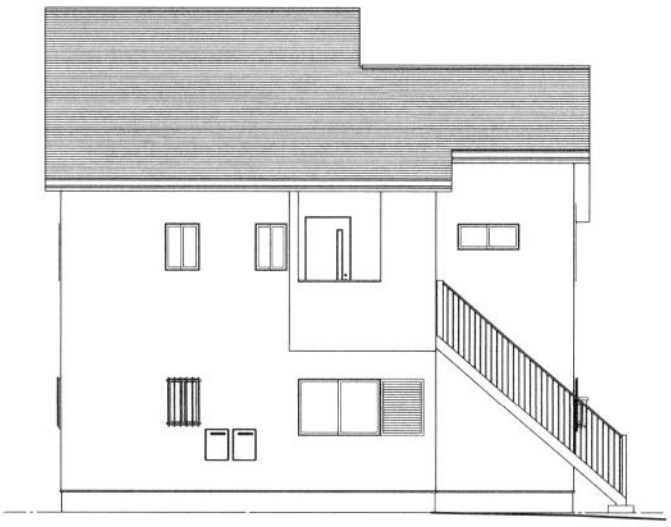

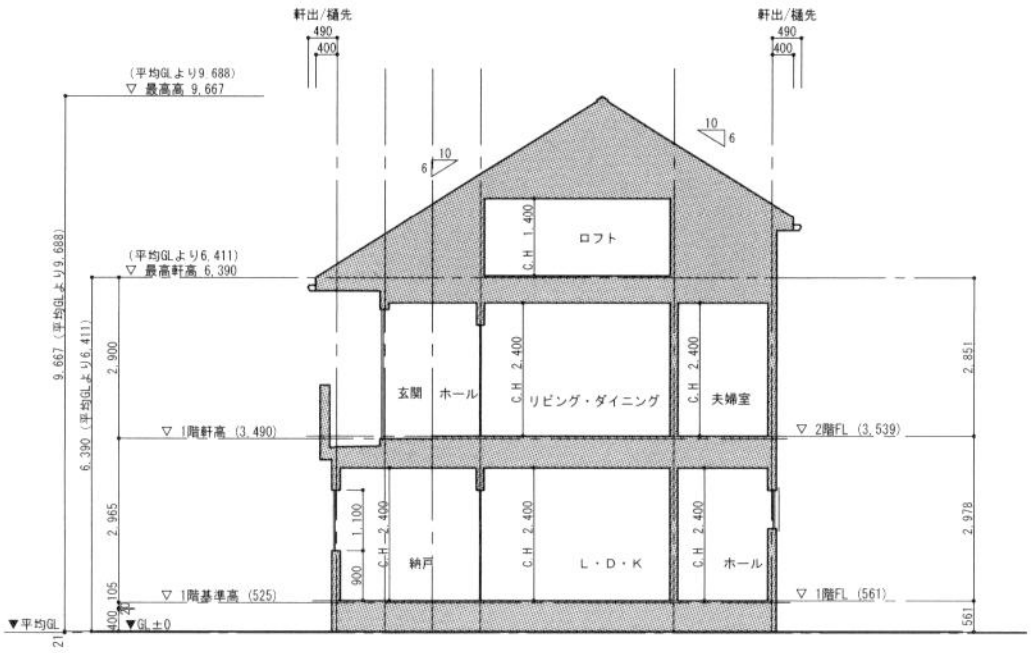

断面図

建物を垂直に切断したときの断面を、真横から見た図面です。高さに関する情報を把握《はあく》するために作成されます。地盤《じばん》からの床《ゆか》の高さ、天井《てんじょう》の高さ、各階の高さなどのほか、屋根のかたむきなども明記します。最低でも、長辺と短辺の2方向の断面図を作成します。

チェック!!

工事のときに使う図面は「施工図《せこうず》」

実際に建築物をつくるには、設計図よりもさらに細かい寸法などの情報が必要です。そのため、工事を担当する施工《せこう》業者は、設計図をもとにして、「施工図《せこうず》」と呼ばれるよりくわしい図面を作成し、これを参照しながら工事を進めます。施工図《せこうず》の内容に設計図と食いちがいがないか、誤りや不備がないかをチェックするのも、設計を担当した建築士のだいじな役目です。

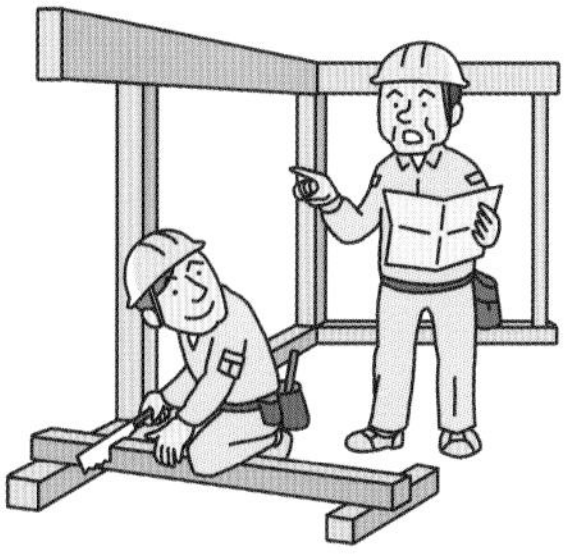

19:00 退勤

おつかれさまでした！

? 仕事は勤務時間内に終わる？

もう少し大きな車が入りやすいように考え直そう

デザインはいいね！
車の送迎《そうげい》のしやすさも考えてみよう

設計図に起こしたデザインや機能について、建築士の先輩《せんぱい》でもある上司に提案して意見を聞きます。

業務が集中してしまうと、遅《おそ》くまで仕事をすることも

建築物を設計し、設計通りに完成するよう指示やチェックを行うのが建築士の仕事です。設計や施工《せこう》について何か問題が見つかれば、建築士はすぐさま対応する必要があります。小さな変更《へんこう》が建物全体の設計にかかわることもあるので、現場任せにはできません。緊急《きんきゅう》の対応が重なり、遅《おそ》くまで仕事をしなければならないこともあります。

仕事を進めるうえでは、経験豊富な先輩《せんぱい》に相談して具体的な意見をもらうこともだいじです。多くの業務をより効率的に進められるようアドバイスを受け、日々実践《じっせん》していく前向きな姿勢が求められます。

終業後や休日は、いろいろな人とつながりをもつことで見聞を広めたり、展覧会や建築物の見学に行って設計のヒントを得たりして、リフレッシュすると同時に、仕事にも役立てています。

COLUMN

ボランティア活動で社会に貢献《こうけん》

大規模な災害によって多くの建築物に被害《ひがい》が生じた場合には、被災《ひさい》した建築物の「応急危険度判定」などに従事します

地震《じしん》や台風などの大規模な災害が起こると、多くの建築物に被害《ひがい》が生じることがあります。そんなとき、建築士は専門知識をいかして、被災《ひさい》した地域を支援《しえん》するボランティア活動にあたります。

建物がかたむいたり、浸水《しんすい》したり、壁《かべ》がひび割れたりした際に、その建物を当面使い続けてもだいじょうぶなのかどうか、正確に判断するのは、専門家でなければ難しいことです。もし、建物が倒壊《とうかい》する危険性が高い場合は、近隣《きんりん》住民もふくめて避難《ひなん》するべきかもしれませんし、付近を通行する人にも注意をうながす必要があります。

そこで、災害発生直後に、人命にかかわる二次的災害を防止するために行われるのが、「被災《ひさい》建築物応急危険度判定」です。所定の講習を修了《しゅうりょう》し、「応急危険度判定士」として都道府県に登録した建築士が、個々の建築物を直接見て回り、危険性を判定します。

また、被災後《ひさいご》、状況《じょうきょう》が安定してきてからの住宅再建に向けては、都道府県の建築士会が中心となって、住まいづくりに関する勉強会や相談会を無料で開催《かいさい》することもあります。

このように建築士は、建築の専門家として、災害直後の人びとの安全確保や、復興支援《しえん》といった形でも、社会に大きく貢献《こうけん》しているのです。

東日本大震災《だいしんさい》のときには、被害《ひがい》の大きかった東北地方に千葉県からも建築士が出向き、ボランティア活動を行いました。住宅を一軒《けん》ずつ訪問し、応急危険度判定を実施《じっし》。判定の際は原則として、2人1組で行動します。

INTERVIEW 1

建設会社で働く建築士

藤本《ふじもと》 ゆかりさん
鹿島《かじま》建設株式会社
東京建築支店 工事担当者
一級建築士

ここの目地《めじ》がきれいにおさまっていないので、是正《ぜせい》お願いします。

内装仕上げについて、作業員と現場を見ながら打ち合わせをします。確認《かくにん》が必要な点があれば指摘《してき》して、対応を求めることもあります。

きょうはここまで作業が完了《かんりょう》してる。工程表通りで順調だな。

現場の状況《じょうきょう》や、作業の進み具合をチェック。

作業間連絡《れんらく》調整会議は、所員や職人に翌日の作業の調整や必要事項《じこう》を周知するミーティングです。

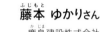

Q1 どんな仕事をしているのですか？

建設現場で施工《せこう》管理＊の仕事をしています。大規模な現場だと職人の数は1,000人を超《こ》えます。作業開始前の朝8時に全員で朝礼を行い、作業内容や注意事項《じこう》を説明。その後は作業の指示や確認《かくにん》、細部の打ち合わせを行います。11時には作業間連絡《れんらく》調整会議（36ページ）の司会を務め、作業終了時《しゅうりょうじ》には一日の作業の進み具合を確認《かくにん》します。

そのほかに、おさまり＊を理解するための図面の読みこみ、着工から完成までの工程表の作成、協力会社との施工《せこう》時期や施工《せこう》方法の打ち合わせ、月々の請求《せいきゅう》処理業務なども大切な仕事です。

Q2 おもしろいところややりがいは？

作成した工程表の通りに作業が進んだときは達成感があります。工種＊ごとに作業の順序は決まっているうえ、いくつもの作業を並行《へいこう》して行うので、その一つがくずれてしまうと全体がうまくいかなくなるのが、工程表を作成するうえで難しいところですが、おもしろいところでもあります。

また、一から建物をつくり、内装の仕上げまでを見届けるので、最初の何もない状態を思い返しながら完成した建物の中を歩くと、感動しますし、みんなでつくり上げたというやりがいを感じます。

Q3 なぜこの仕事に就《つ》いたのですか？

小学生のころから算数や理科などの理系科目が得意だったことに加え、機械設計の仕事をしている父親の影響《えいきょう》もあり、中学のころにはものづくりに興味をもち、図面を読みとったり書いたりする仕事に就《つ》きたいと考えていました。

就職活動を始めたときは、建設業以外のさまざまな分野・職種にも興味がありましたが、会社説明会で話を聞くなかで、やはりものづくりに直接かかわる技術職に就《つ》きたいと感じました。建築関係の仕事の中で最もものづくりの現場に近いと考えたのが、建物を実際につくり上げていく施工《せこう》管理の仕事でした。

施工《せこう》管理

工事現場で働く職人・作業員の仕事を監督《かんとく》し、とりまとめる仕事。現場監督《かんとく》（25ページ）が行う仕事は施工《せこう》管理にあたる。

おさまり

建築物を構成する材料が、2つ以上接合する部分の処理の仕方。

工種

工事の種類を表す「工事種別」の略。大規模な建設工事には、工種ごとに複数の会社がたずさわる。

INTERVIEW 2

住宅メーカーで働く建築士

前園《まえぞの》 弘志《ひろし》さん
タマホーム株式会社
千葉ニュータウン店 店長
二級建築士

確認《かくにん》のため、私も現場に向かいます

メーカーや職人さんとの打ち合わせなどで、外出することも多くあります。

こちらのキッチンの高さや奥行《おくゆ》きはいかがでしょうか？

モデルハウス＊をご案内して、設備の使い勝手などをお客さまに体感、体験してもらいます。

階段のおさまり具合はいいかな

引きわたし前に、完成した家の仕上がり具合もしっかりとチェックします。

ご要望にかなう素材はどれかな…

お客さまに見せる図面など資料の作成、チェックは大切な仕事です。

Q1 どんな仕事をしているのですか?

営業職としてお客さまと直接対面し、ゼロから始まる家づくりのお手伝いをしています。お客さまといっしょにプランをつくり、理想の住まいを完成させるためのあらゆる相談に乗ります。建築士としての知見だけでなく、土地探し、住宅ローンや、税金、相続など、幅広《はばひろ》い知識が必要な仕事です。

構造計算*や設計図の作成は設計職の建築士が行いますが、その内容をお客さまに説明するのは営業職です。例えば、コンセントの位置や数が要望通りの仕様になっているかなど、細部までお客さまとともに確認《かくにん》します。

Q2 おもしろいところややりがいは?

多くの人にとって、家づくりは一生に一度の大きな買い物です。そのなかで、頼《たよ》りにされ、「任せてよかった」と言ってもらえると、とてもうれしいです。お客さまの思いが家という形になったとき、感動を分かち合えることは、何度経験しても感慨《かんがい》深く、やりがいを感じます。

また、たずさわる家は毎回ちがうため、常に新しいことにとり組むことになります。すべての経験が学びにつながり刺《し》激的《げきてき》で、日々、自身の成長を感じることができるのも、この仕事のおもしろさであり、やりがいを感じるところです。

Q3 なぜこの仕事に就《つ》いたのですか?

小学生のころ、地元の佐倉《さくら》市役所の庁舎が黒川紀章《くろかわきしょう》*の作品だったことがきっかけで、建築に興味をもちました。幼いころからものづくりが好きだったこともあり、大工になりたいと考えて工業高校の建築科へ入学。建築を学ぶなかで、建築士の資格をとりたいと考え、大学の建築関係の学科に進学しました。

営業職として家づくりにたずさわりたいという思いから、住宅メーカーに就職し、入社後は設計課で図面作成などの仕事をしながら建築士の資格を取得。現場監督《かんとく》として経験を積んだのち、現在は念願の営業職として働いています。

モデルハウス

住宅メーカーが見本として建設した展示用の住宅。

構造計算

建築物が、建築物自体の重さ、地《じ》震《しん》、強風などで加わる力に対して安全性を保てるかどうかの計算。

黒川紀章《くろかわきしょう》（1934～2007年）

日本を代表する建築家の一人（一級建築士）。国内の美術館、庁舎、ビルなどのほか、海外の建築物も手がけるなど国際的に活躍《かつやく》した。

INTERVIEW 3

公務員として働く建築士

吉田《よしだ》 拓矢《たくや》さん
愛知県建築局建築指導課 技師
一級建築士

きちんと確保できて

この規定は法改正
されたところなので
注意してください

建築確認《かくにん》や検査の申請《しんせい》前に、建築物の設計を担当する建築士が質問や相談をしに来ることもしばしばあります。過去の例なども参考にしながら、適切に対応します。

内装材の
不燃《ふねん》性能は、法令の
基準を満たしている
だろうか？

建築確認《かくにん》などの審査《しんさ》では、提出された書類や図面を法令の内容と照らし合わせながら、入念にチェック。建築の計画に問題点がないかどうかを確かめます。

Q1 どんな仕事をしているのですか？

現在は、建築基準法にもとづく確認《かくにん》や検査の業務を担当しています。建築物は人の生活と密接に関係するものであり、衛生的で安全であることが求められます。また、建築物をつくる際に、最低限のルールが守られなければ、周辺の環境《かんきょう》や公共の福祉《ふくし》が損《そこ》なわれてしまうかもしれません。そのため、資格を有する第三者が、法律が守られているかどうかを審査《しんさ》しています。

審査《しんさ》手続きの前段階として、設計を担当する建築士などからの相談にも応じ、法律の解釈《かいしゃく》や具体的な判断を行っています。

Q2 おもしろいところややりがいは？

確認《かくにん》や検査の業務が果たす役割の一つは、違法《いほう》な建築物がもたらす問題を未然に防ぐことであり、やりがいのある仕事だと考えています。

建築基準法は最低の基準に過ぎず、建築物の個々の条件に応じてルールを適用していく必要があります。ときには、法に明記されていないような事例について、判断をしなければならない困難な場面もありますが、多角的に考え結論を導き出すことにはおもしろさもあり、技術職としての腕《うで》の見せ所でもあると思います。

Q3 なぜこの仕事に就《つ》いたのですか？

「建築の仕事は、成果が地図に残る」。この言葉は、私が建築士を志すきっかけとなったものです。ものづくりにかかわる仕事がしたいと漠然《ばくぜん》と考えてはいましたが、高校生時代の進路説明会で聞いたこの言葉に心を動かされ、建築について学ぶことを決めました。

大学在学中に東日本大震災《だいしんさい》が発生し、被災地《ひさいち》の痛ましい状況《じょうきょう》が連日報道されるのを見て、自然災害のおそろしさを感じるとともに、災害に強いまちづくりや建築物の地震《じしん》対策といった課題にたずさわりたいと思うようになり、行政の建築技術職を選択《せんたく》しました。

建築指導課って、どんな部署？

建築指導課は、地方自治体の建築局や建設局などに置かれていて、建築関係の法令がきちんと守られるようにするための事務をになう部署です。自治体によって業務内容には多少のちがいがありますが、愛知県の場合は、建築確《かく》認《にん》や検査に関する業務のほか、土地の開発許可に関する事務、環《かん》境《きょう》に配慮《はいりょ》した住宅の認定《にんてい》に関する事務なども行っています。

INTERVIEW 4

福祉《ふくし》住宅をあつかう建築士

大瀧《おおたき》 雅寛《まさひろ》さん
有限会社大滝《おおたき》建築事務所 取締役《とりしまりやく》社長
一級建築士

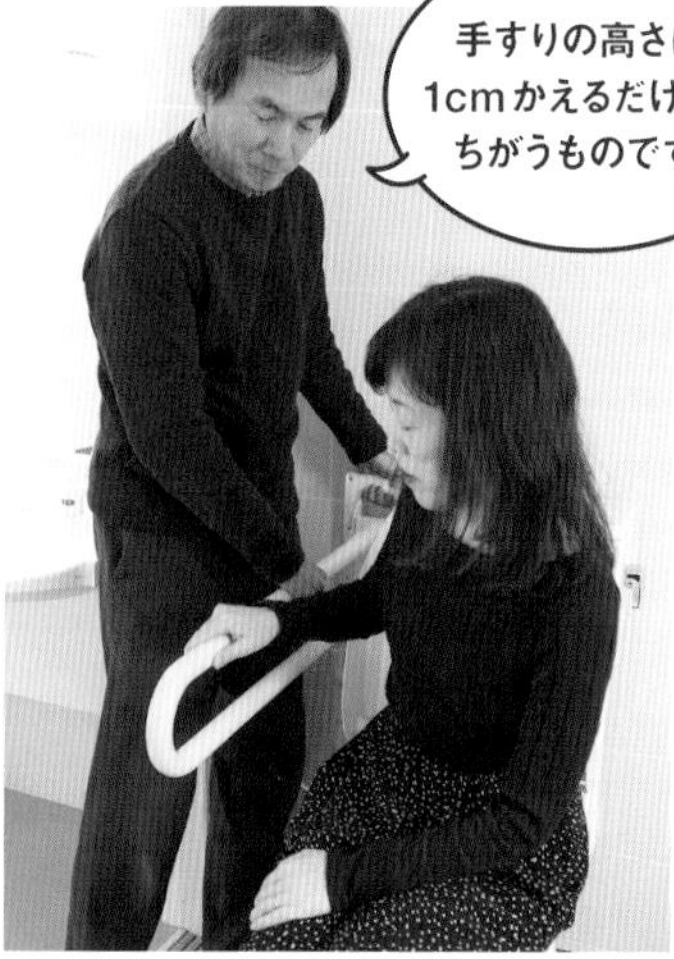
1cmかえるだけでも
ちがうものですよ

トイレの手すりの打ち合わせをしています。手すりの位置は、一人ひとりに合わせて、使いやすい場所にとりつけます。

道路から床《ゆか》までの90cmの高さを、車いすでも昇降《しょうこう》できる段差リフトです。リフトのわきにはゆるやかな階段もつくり、両側に手すりをとりつけました。車いすのときはリフト、歩くときは階段と使い分けることができます。

せまい家なので、LDK（リビングダイニングキッチン）にベッドも置くことにしました。ベッドからすぐに、洗面台、トイレ、浴室へと、車いすでも移動しやすくなっています。

Q1 どんな仕事をしているのですか？

車いすユーザーをはじめとした、障がい者、高齢者《こうれいしゃ》の住まいを専門として、バリアフリー住宅＊への建てかえやリフォームをおもに手がけています。最近では、福祉施設《ふくししせつ》や幼稚園《ようちえん》、保育園なども手がけています。

21歳《さい》のときに設計事務所（建築士事務所）と工務店を立ち上げましたが、あるとき、友人の両親が事故によって車いすユーザーとなり、家をバリアフリー住宅にしなくてはいけなくなって、建てかえの仕事を頼《たの》まれました。バリアフリー住宅を専門とするようになったのは、その依頼《いらい》がきっかけです。

Q2 おもしろいところややりがいは？

住まいづくりの仕事は、みなさんが想像する以上におもしろいものです。一つ一つの住まいで、一つ一つの物語に出会えるからです。そこに住む人たちから、たくさんのことを学ばせてもらっています。ときに設計の話から外れて、家族のあり方、人生をどう整理していくかなど、奥《おく》の深い話を聞かせてもらうこともあります。そういった話を、私の心の中にしまっておくだけでなく、建築を通して多くの人に伝えていきたいという気持ちで、一棟《とう》一棟《とう》の住まいをつくっています。

Q3 なぜこの仕事に就《つ》いたのですか？

父が大工だったので、小学生のころから弟といっしょに仕事の手伝いをしていました。私が建築の仕事をしたいと、工業高校の建築科を目指すことにしたとき、父は「建築の仕事は大変だから」と、むしろ反対しました。それでも建築の仕事を選んだのは、子どものころに慣れ親しんでいたことが、仕事をするときに自分の最大の味方となってくれると信じたからです。

小学生の私は、建築士といういわば「建物の図面を書く」仕事があるとは知らず、じつは高校3年になり就職先を決めていく際に、初めて知ったのでした。

バリアフリー住宅って、どんなもの？

バリアフリー住宅とは、さまざまな設計のくふうによって、小さな子どもや高齢者《こうれいしゃ》、障がい者など、だれもが安全に快適に生活できるようにつくられた住まいのこと。段差をなくす、手すりをつけるといったくふうのほかに、移動しやすい部屋の配置を考えることも重要です。長く住むことを考えて、家を新築するときにバリアフリー住宅にする人も増えています。

INTERVIEW 5

インテリアデザインも手がける建築士

木邊《きべ》 智子《ともこ》さん
株式会社フォーラム
フォーラムデザインワークス一級建築士事務所
取締役《とりしまりやく》
一級建築士、インテリアプランナー

間仕切り家具が、部屋と部屋を分けるだけでなく、遊び場にもなるしかけ。このこども園については、建物の設計のほか、家具の設計、ロゴや園バスのグラフィックなど、トータルでデザインを手がけました。

外観のイメージは
どんな感じが
いいかな…

事務所では、建物の設計やインテリアデザインに関するたくさんの資料に囲まれて仕事をしています。

子どもたちが豊かに暮らせる空間づくりを心がけています。

水道配管の
スペースはここで
どうだろうか？

イメージ通りの建物を完成させるためには、現場で働く職人や作業員などに設計の意図などをしっかりと伝えることがだいじです。

Q1 どんな仕事をしているのですか？

37歳《さい》のときに自ら立ち上げた事務所で、設計から施工《せこう》までを行っています。住宅のリフォームや、店舗《てんぽ》、クリニックなどのデザインをはじめ、現在は住宅の新築、保育園やこども園などをおもに手がけています。

私は建築を内側から発想することが多く、「どう暮らしたいのか？」「美しい空間とは？」ということから考えます。いろいろな物件がありますが、建物の基本計画からインテリアの細かいデザインまで、すべてが私の仕事です。配置する家具から、カーテンや照明器具、絵画などの選定まで行います。

Q2 おもしろいところややりがいは？

ここ数年、保育園やこども園の設計を多く手がけています。私も働きながら3人の子どもを預けていたので、保育園にはたいへん思い入れがあり、この仕事には特にやりがいを感じています。

子どもが安全で快適に生活できるように設計することはもちろん、毎日がどんなシーンでも楽しくなるように、美しく、一人ひとりの個性や感性を育む空間づくりを考えています。

できあがった空間で子どもたちが楽しそうに遊んでいる姿を見ることがうれしく、こちらまで楽しくなります。

Q3 なぜこの仕事に就《つ》いたのですか？

小学生のときから部屋の模様がえが好きで、ベッドや机をいろいろな配置に変えて気分がリフレッシュすることを楽しんだり、カーテンやクッションなどを手づくりしたりしていました。そんなことから、高校を卒業する際に、美術系短期大学への進学を考えるなかで、インテリアデザインコースを選びました。

学校で学んでいくうちに、インテリアだけでなく建築から住まいにたずさわりたいと考えるようになりました。建物からインテリアまで総合的にデザインできることがよりおもしろいと考え、建築士を目指そうと思いました。

インテリアデザインって、何をするの？

インテリアとは、建築物などの内装のこと。壁紙《かべがみ》や床材《ゆかざい》、カーテン、カーペットをはじめ、家具、照明、キッチンやトイレ、風呂《ふろ》などの設備もふくみます。インテリアデザインとは、こうした内装のデザインをすることです。意匠《いしょう》設計を行う建築士も手がける仕事ですが、インテリアプランナーなどの資格をもち、インテリアデザインに重点を置いて仕事をする人もいます。

もっと！教えて！建築士

Q1 建築士になってよかったなと思うことを教えて！

A 建築を通して、その人の人生の役に立てること

住宅の設計施工《せこう》を担当したお客さまから、会うたびに「本当にすてきな家をつくってくれてありがとう！」と感謝されたり、何年たっても住宅の相談で連絡《れんらく》をもらえたりと、長くかかわれることです。住宅は人生の一部。子育て、子どもの自立、親との同居など、住宅について考える場面は多くあります。そのたびに相談してもらえることは、建築士として幸せに思います。(40代・女性)

A 完成した建築物を見て、自分の仕事が役立っていることを実感

行政の仕事では、個人の住宅から、病院、学校、駅、空港といった大規模な公共の施設《しせつ》まで、さまざまな建築物について法的な相談を受けるので、実際に建築物が完成したところを見ると、役に立てたことをうれしく感じます。

また、行政職は人事異動が比較的《ひかくてき》多く、建築確認《かくにん》だけでなく、住まいづくりに関する情報発信にたずさわるなど、幅《はば》広《ひろ》い業務を経験できることも魅力《みりょく》です。(30代・男性)

A 自分が設計したものが形になる喜び。同時に、責任感・緊張感《きんちょうかん》もおぼえます

自分が頭の中で考えたものが、現実の建築物として形になることです。設計した通りのものを目《ま》の当たりにする瞬《しゅん》間《かん》は何度経験してもうれしく、この仕事をしていてよかったなと感じます。それと同時に、自分がえがいた図面をもとに、多くの人が作業を進め、建築物が完成していくのだと思うと、責任感・緊張感《きんちょうかん》をもって仕事をしなければと、身の引きしまる思いがします。(40代・男性)

Q2
建築士の仕事で、大変なこと、苦労したことを教えて！

A 建設現場での仕事には知識だけでなく経験も必要

まだ経験が浅いころ、施工《せこう》管理の仕事でコンクリート工事を任されたときは苦労しました。事前に図面からコンクリート数量を算出し、当日は予定数量を考えながら最後の数量調整をします。コンクリートの余分が金額的な損失につながる責任ある作業ですが、うまく調整できず、大量に余らせてしまったこともありました。知識とともに経験も必要な仕事です。 (20代・女性)

A 予算をオーバーしないように、どこに重点を置くかをよく相談して設計

設計施工《せこう》では、予算管理が大変で重要なことです。希望を聞くうちに、予算を大きくオーバーしてしまうことも少なくありません。そんなときは、お客さまとじっくり話をします。

例えば、子どもが個室を使うのはせいぜい長くて10年だから、子ども部屋として個室をたくさんつくるよりも、みんなで過ごす大きくてすてきなリビングに重点を置いたほうがよい気がしませんか？ そんな提案もしながら、それぞれの家の10年20年を想像して設計しています。 (40代・女性)

A 建築物が法に適合しているか、判断するのが簡単ではないケースも

建築物の設計が法に適合しているか審査《しんさ》する仕事をしていますが、すべての答えが法文に書かれているわけではありません。例えば、建物に付属している階段は、屋内か屋外かで規制内容が異なります。しかし、屋内・屋外の明確な定義は法律にはないため、さまざまな文献《ぶんけん》を参考にして個別に判断します。審査《しんさ》機関として、こうした判断をしなければならないのが、この仕事の難しいところです。 (30代・男性)

Q3
建築士にとってだいじだと思うことを教えて！

A 建築という長く残るものをつくるプライドと責任感を忘れないこと

建築というものは長くその場所にあり続けるものです。法令に適合し、安全であること、使いやすいことはもちろん、デザインも美しく、街の財産でもあることが理想といえるでしょう。建築士は、後世に残る価値のある建築を生み出すことができる仕事。プライドと責任感を胸に、仕事に臨《のぞ》むことがだいじだと思います。　（40代・女性）

A 「建築が好き」という気持ちが仕事への原動力になります

建築物をつくる際には、さまざまな人とコミュニケーションをとることが必要です。建築士には、人の話に真《しん》剣《けん》に耳をかたむけられること、その人の立場になって物事を考えられることが求められます。

そして、何よりもだいじなのは、建築が好きなこと。自分なりのくふうをこらし、一つ一つの仕事に熱意をもってとり組み続けるための原動力になります。　（50代・男性）

A 常に新しい知識をとり入れる姿勢と、よりよい建築を追求する誠実さ

建築士として工事管理の仕事をしていると、さまざまな工種（37ページ）を担当することになり、施工《せこう》方法や建築材料も更新《こうしん》されていきます。積極的に新しい知識をとり入れる姿勢を忘れないことが大切です。

また、施工《せこう》方法に完全な正解はなく、同じ建物をつくっても、現場の責任者である所長によって、全くちがう施工《せこう》方法、手順になるといわれています。そのなかで、より効率よく、より品質よく、より安全に作業できる方法を誠実に追求することもだいじです。　（20代・女性）

Part 2

目指せ建築士！
どうやったら
なれるの？

？ 建築士になるには、どんなルートがあるの？

建築に関する科目を修め、国家試験を受験

建築士免許《めんきょ》は国家資格です。一級、二級、木造の3種類あり、それぞれの免《めん》許《きょ》ごとに国家試験が実施《じっし》されています。

建築士試験はだれでも受けられるものではありません。大学、高等専門学校、短期大学や専門学校で、国土交通省の指定する建築に関する科目を修めて卒業した人などに、受験資格が認められます。免許《めんきょ》の種類によって、修めるべき単位数、卒業すべき学校の種類などは異なります。

二級建築士免許《めんきょ》をもつ人には、一級建築士試験の受験資格が認められるので、まず二級建築士を取得してから一級建築士を目指す人もいます。

また、学校で建築の勉強をしていなくても、建築実務の経験が7年以上あれば、二級建築士・木造建築士試験の受験資格が得られます。

どの種類の建築士試験も、合格後に免許《めんきょ》を取得するには、免許《めんきょ》登録が必要です。多くの場合、免許《めんきょ》登録をするには、建築実務の経験が求められます（59ページ）。

中学校卒業

→ 高等学校の普通《ふつう》科《か》など（3年）

→ 高等専門学校の建築系学科（本科・5年）

→ 高等学校の建築科など（3年）

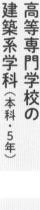

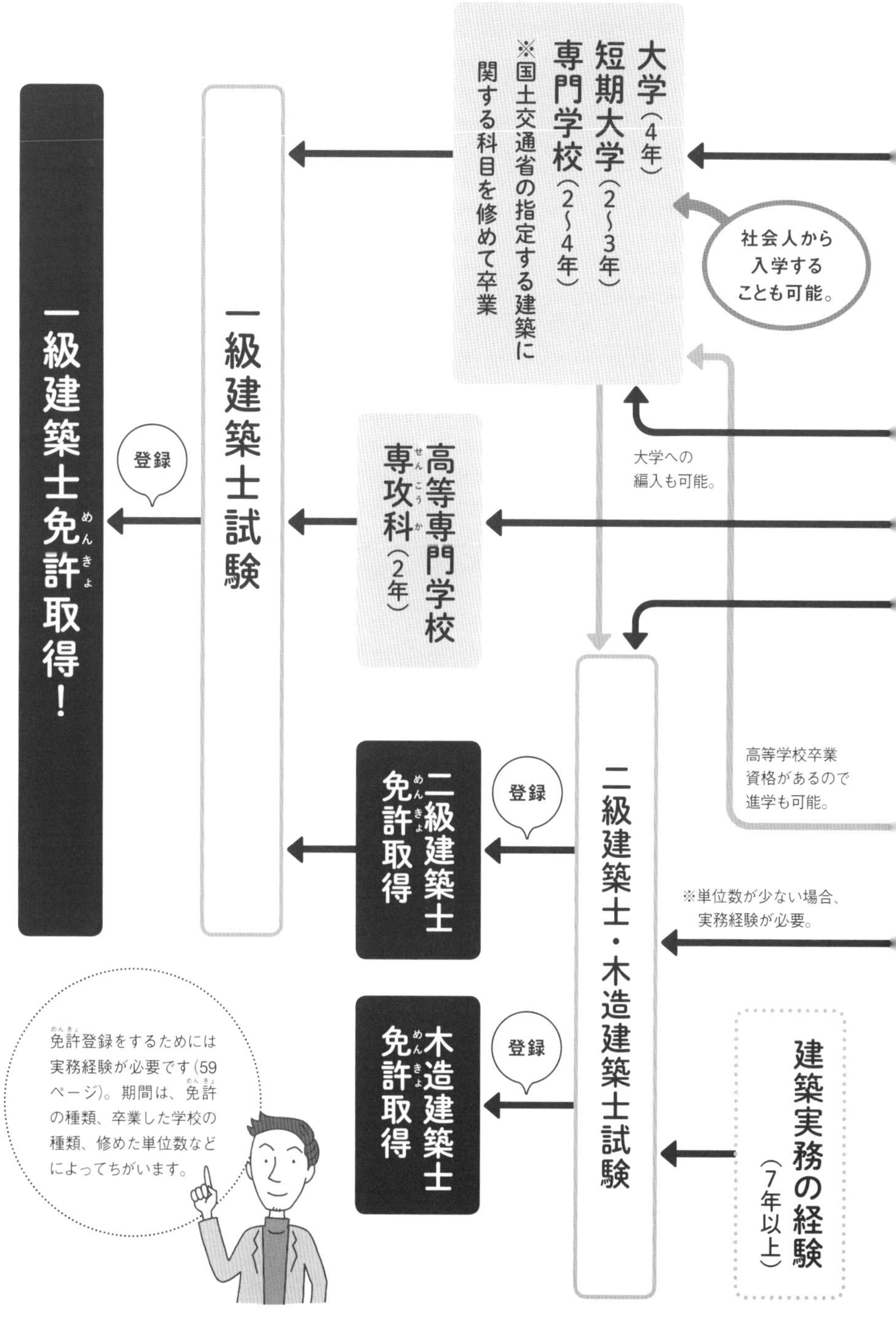
大学（4年）
短期大学（2〜3年）
専門学校（2〜4年）
※国土交通省の指定する建築に関する科目を修めて卒業
社会人から入学することも可能。
大学への編入も可能。
高等専門学校専攻科《せんこうか》（2年）
高等学校卒業資格があるので進学も可能。
※単位数が少ない場合、実務経験が必要。
建築実務の経験（7年以上）
一級建築士試験
登録
一級建築士免許《めんきょ》取得！
二級建築士・木造建築士試験
登録
二級建築士免許《めんきょ》取得
登録
木造建築士免許《めんきょ》取得
免許《めんきょ》登録をするためには実務経験が必要です（59ページ）。期間は、免許《めんきょ》の種類、卒業した学校の種類、修めた単位数などによってちがいます。

いろんな学校があるみたいだけど、ちがいは何？

● 高等学校卒業以降に入学する学校

幅広《はばひろ》い科目を学び、
応用力を身につける

大学 4年

建築に関する専門科目だけでなく、幅広《はばひろ》い知識を総合的に学べるのが特徴《とくちょう》です。工学系や芸術系などの学部に、専攻《せんこう》の一つとして建築系の学科が設けられている場合が多いので、興味のある分野に合わせて学部を選ぶとよいでしょう。

卒業後、大学院に進学し、さらに学びを深める道も開けています。

専門分野を中心に学び、
資格取得を目指す

専門学校 2～4年

短期大学 2～3年

建築に関する専門的な知識や技術を中心に学びます。大学よりも修業年数が短い場合が多いので、早く仕事に就《つ》きたい人には向いているでしょう。

ただし、修業年数が短いと、修められる単位数も少なく、免許《めんきょ》登録に必要な実務経験の期間は長くなります。

学校によって、修業年数、単位数、学習内容もさまざま

大学、短期大学、専門学校は、高等学校卒業後の進学先です。修める単位数にもよりますが、多くの場合、卒業すると一級建築士・二級建築士・木造建築士のすべての試験の受験資格が得られます。

中学校卒業後、すぐに建築の勉強を始めたいなら、高等専門学校または高等学校の建築系の学科に進む道もあります。いずれも、卒業すると二級建築士・木造建築士試験の受験資格が得られます。一級建築士を目指す場合は、高等専門学校の本科卒業後に専攻科《せんこうか》で2年間学ぶか、二級建築士免許《めんきょ》を取得したあとに、一級建築士試験に挑戦《ちょうせん》することになります。

● 中学校卒業の時点で入学できる学校

5年一貫《いっかん》教育で、
建築の知識と技術を学ぶ

高等専門学校の建築系学科

本科5年　専攻科《せんこうか》2年

5年間の一貫《いっかん》教育で専門的な実践《じっせん》教育を行い、技術者を育成する学校です。略して「高専」とも呼ばれます。さまざまな学科の一つとして、建築学科や環境《かんきょう》都市工学科といった建築系学科が設けられています。

卒業すると二級建築士・木造建築士試験の受験資格が認められ、専攻科《せんこうか》に進んでさらに高度な専門知識を学べば、一級建築士試験の受験資格も得られます。

建築の仕事に必要な
知識や技術の基礎《きそ》を学べる

高等学校の建築科など

3年

高等学校のうち、農業、工業、看護、福祉《ふくし》などの専門学科を置く学校を専門高校といいます。国語や数学といった普通科《ふつうか》の高等学校と同様の授業に加え、各分野の専門的な学習をすることができる学校です。

工業系の専門高校（工業高校）には、建築科や建築技術科などが設置されている場合があり、卒業すると二級建築士・木造建築士試験の受験資格が得られます。

働きながら学びたい場合は…

大学などの夜間部や通信教育、定時制の工業高校も

大学や専門学校の夜間部、定時制の工業高校などでは、夕方から夜にかけて授業を受けられるので、昼間働きながら学ぶことも可能です。ほぼ学校に通わずに学べる通信教育の課程を設けている学校もあります。

なお、免許《めんきょ》登録の条件とされる実務経験は卒業後のものに限られるため、在学中の建築の実務経験はカウントされません。

建築士になるための学校って、どんなところ？

国土交通大臣の指定する建築に関する科目

構造力学
建築物の構造計算（さまざまな力に対して安全を保てるかどうかの計算）の基礎《きそ》理論に関すること

建築一般《いっぱん》構造
建築物の一般的《いっぱんてき》な構造に関すること

建築材料
建築物に使われる木材、鋼材、コンクリートなどの材料に関すること

建築生産
建物の企画《きかく》、設計、施工《せこう》など建築物が生産される過程に関すること

建築法規
建築物に関する法令や建築行政などに関すること

建築設計製図
建築工事に必要な図面を作成できるようにするための講義または演習で、建物の形態、建築材料、構造を決め、図面に表示すること

建築計画
建物を建てるときに考慮《こうりょ》すべき人間の行動や意識、建物とその周辺の空間のあり方が人間の行動や意識に与《あた》える作用に関すること

建築環境《かんきょう》工学
建物の室内における光、音、空気、温度といった環境《かんきょう》が、人の健康などに与《あた》える影響《えいきょう》に関すること

建築設備
換気《かんき》、冷暖房《れいだんぼう》、消火や排煙《はいえん》の設備、それらの運転に必要な電気やガスの設備など、設備に関すること

建築士になるために必要な建築に関する科目が学べます

建築士試験の受験資格を得るためには、国土交通大臣の指定する建築に関する科目を修める必要があります。資格の種類によって、受験に必要な単位数は異なりますが、科目は共通です。

建築に必要な図面のつくり方をはじめ、建物と人間のかかわり、室内の環境《かんきょう》、空調や電気などの設備、建築物の安全性に関する計算の基礎《きそ》、建築物の構造・材料・生産過程、法令など、幅広《はばひろ》い内容が定められています。

実際のカリキュラムでは、学校ごとに独自の科目名をつけていることもあります。また、卒業までに修めることができる単位数も、学校によってちがいます。

卒業までのカリキュラム

（日本大学理工学部建築学科の場合）

1年次
建築を専門的に学ぶための基礎《きそ》がため

建築をつくるうえで考えなければならない専門的な視点や、建築の歴史、都市の成り立ちなど、建築学の概要《がいよう》について学びます。

2年次
幅広《はばひろ》い専門分野の基礎《きそ》をしっかり学ぶ

幅広《はばひろ》い専門分野の基礎《きそ》をしっかり学び、工学的な知識、人と環境《かんきょう》のかかわり、建築の機能性・快適性・創造性など、相互《そうご》の関係性を理解していきます。

3年次
将来の進路を見すえ、より専門的に学ぶ

建築設計や建築実験などの実習・体験型の授業で実践的《じっせんてき》に理解を深め、将来の進路も意識しながら、より高度な専門分野の知識と技術を修得します。

4年次
自分が目指す研究や設計にとり組む

自分が勉強したい専門分野の研究室に所属して、4年間の集大成として研究テーマにとり組み、論文または設計として成果をまとめます。

学ぶべきことが盛りだくさん！ いそがしくも充実《じゅうじつ》した学生生活

どの学校でも、建築士として必要になる専門的な知識や技術を学ぶ科目がたくさんあり、必ず受けなければならない授業や実習も多いため、いそがしい日々を送ることになります。授業で出た課題を仕上げるために、寝食《しんしょく》を忘れて製図や模型作成にとり組む経験をしたという人も少なくありません。ハードな毎日ではありますが、建築が好きな人にとっては、有意義で充実《じゅうじつ》した学生生活となるはずです。

アルバイトや学校行事、サークル活動といった学生ならではの経験も、建築士としての将来の仕事に役立てるつもりでとり組むとよいでしょう。建築士事務所でのアルバイト、有名な建築物や美術作品を鑑賞《かんしょう》したり研究したりするサークル活動、学生向けの建築コンペやコンテストなど、授業以外にも学びのチャンスがたくさんあります。

? 学校ではどんな授業が行われているの？

大学で学ぶ専門科目の例

設計	●デザイン基礎《きそ》 ●建築設計 ●デザインワークショップ
計画・法規	●建築計画 ●建築史 ●建築法規 ●都市計画 ●建築デザインと歴史 ●ユニバーサルデザイン ●ランドスケープデザイン ●保存修復論 ●住環境《じゅうかんきょう》計画 ●行政法規 ●建築計画特別講義
環境《かんきょう》・設備	●環境《かんきょう》工学 ●環境《かんきょう》工学演習 ●建築設備 ●環境《かんきょう》設備特別講義
構造	●構造力学 ●応用力学 ●応用力学演習 ●建築基礎《きそ》構造 ●鉄筋コンクリート構造 ●鋼《こう》構造 ●構造設計 ●振動《しんどう》工学 ●対地震《たいじしん》構造 など
材料・施工《せこう》	●建築材料 ●建築構法 ●建築積算・生産管理 ●建築施工《せこう》 ●コンストラクションワークショップ
実験	●建築基礎《きそ》実験 ●建築実験
総合・実践《じっせん》	●建築情報処理 ●建築学キャリアデザイン ●卒業研究・設計 など

幅広《はばひろ》い建築の知識を一から修得。実習や演習が多いのも特徴《とくちょう》

建築士になるための学校では、設計、構造、施工《せこう》、材料、設備、環境《かんきょう》など、建築に関するさまざまな分野の専門知識を、一から修得していくことになります。入学時は建築についての知識がまったくない状態ですが、基礎《きそ》から体系的に学べるので、心配することはありません。専門的な学びの基礎《きそ》として、数学や物理、化学の授業も用意されています。

教室での授業（講義）を受けるだけでなく、実際に手を動かして学ぶ実習や演習が多いのも特徴《とくちょう》です。図面や模型をつくる授業のほか、構造物にかかる力を計算する授業、素材の強度を実験によって確かめる授業など、さまざまなものがあります。

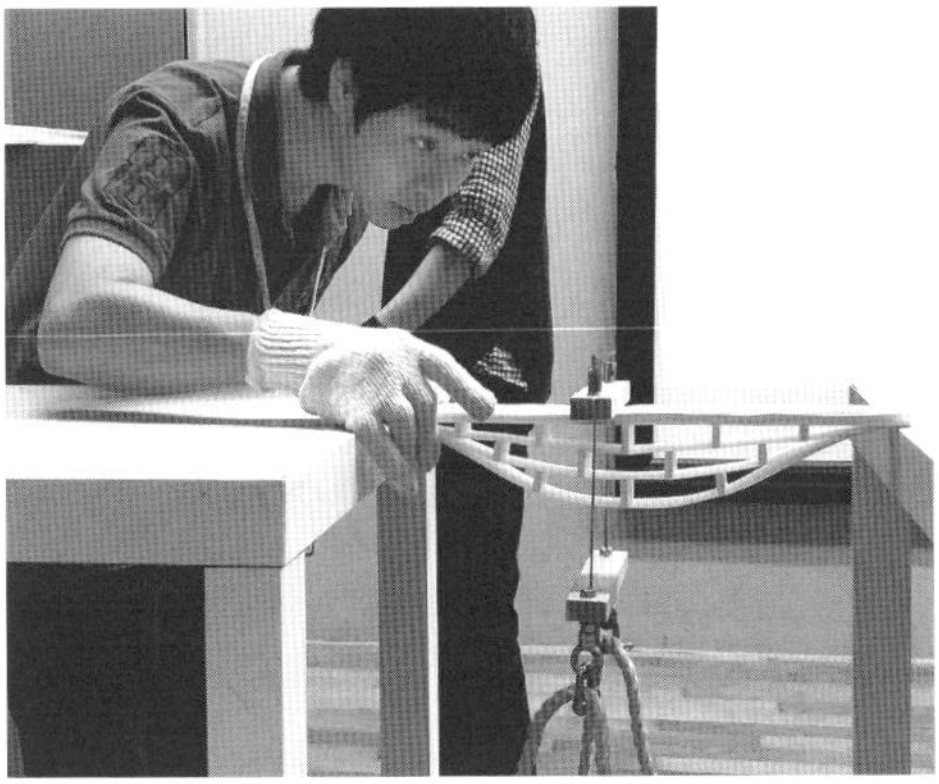

建築基礎《きそ》実験(左)、建築環境《かんきょう》実験(上)

学生が自分でつくった模型や、実際の建築材料でつくった試験用の素材を使って、強度や材料の性質などを学びます。

建築設計授業(上)、卒業研究・設計(右)

学んだ知識を設計にいかすための実践的《じっせんてき》な授業もあります。卒業年次には、卒業設計として形にして、評価を受けます。

学校ごとに特色のある教育内容。現役の建築士に学べる授業も

学ぶべき内容が非常に多いため、入学して1年目から、建築の専門科目の授業があります。最初は基礎的《きそてき》な内容から始まり、高度な内容へと進んでいきます。大学の場合は、1〜2年次は教養科目や建築に関する基礎《きそ》科目を中心に幅広《はばひろ》く学び、3年次以降はより専門的な内容を深く勉強するというのが一般的《いっぱんてき》な流れです。

カリキュラムには、学校ごとに特色があります。例えば、美術大学に置かれている建築学科では、構造や設備など建築に必要な知識もひと通り学べますが、特に意匠《いしょう》設計というデザインに関する部分を中心に学びます。一方、理工学部などの建築学科では、さまざまな分野から自分の専門分野を選択《せんたく》し、学びを深めていきます。現役の建築士を講師にむかえ、具体的なアドバイスを受ける機会なども用意されています。

写真提供・取材協力:日本大学理工学部

？ 気になる費用は、どのくらいかかるの？

学費と入学金の目安

学校の種類		年間の学費（授業料、施設費《しせつひ》など）	入学金
大学	国公立	約54万円	約28万円
	私立	約100万～170万円	約15万～30万円
短期大学	公立	約40万～50万円	約10万～30万円
	私立	約80万～130万円	約20万～30万円
専門学校	私立	約80万～130万円	約10万～30万円
高等専門学校	国公立	約24万円	約9万円
高等学校	公立	約12万円	約6,000円
	私立	約35万～60万円	約10万～20万円

このほかに、教科書代や学用品代、実習費なども必要です。

奨学金《しょうがくきん》の種類

- 民間団体の奨学金《しょうがくきん》
- 学校の奨学金《しょうがくきん》
- 自治体の奨学金《しょうがくきん》

私立の大学、短大、専門学校は年間の学費が100万円ほど

大学、短期大学、専門学校は、私立の場合、どの学校でもだいたい一年で100万円程度の学費がかかります。国公立なら、年間の学費が私立の半分程度と安く済みますが、学校数は限られます。

中学校卒業の時点で入学できる高等専門学校や高等学校は、大学などよりも学費が安めです。高等専門学校の1～3年と高等学校については、高等学校等就学支援金《しえんきん》制度を利用することで授業料の負担が大幅《おおはば》に減り、無料になることもあります（施設費《しせつひ》などの学校納入金はかかります）。

学校の種類にかかわらず、奨学金《しょうがくきん》などの支援《しえん》制度を利用することもできます。

？ 学校を卒業したあと、実務経験が必要なの？

「建築に関する実務」の対象

- 建築物の設計に関する実務
- 建築物の工事監理《かんり》に関する実務
- 建築工事の指導監督《かんとく》に関する実務
- 建築物に関する調査または評価に関する実務
- 建築工事の施工《せこう》の技術上の管理に関する実務
- 建築・住宅・都市計画行政に関する実務
- 建築教育・研究・開発およびそのほかの業務

免許《めんきょ》登録までの実務経験のタイミング

（例）大学卒業後に一級建築士の免許《めんきょ》を取得する場合

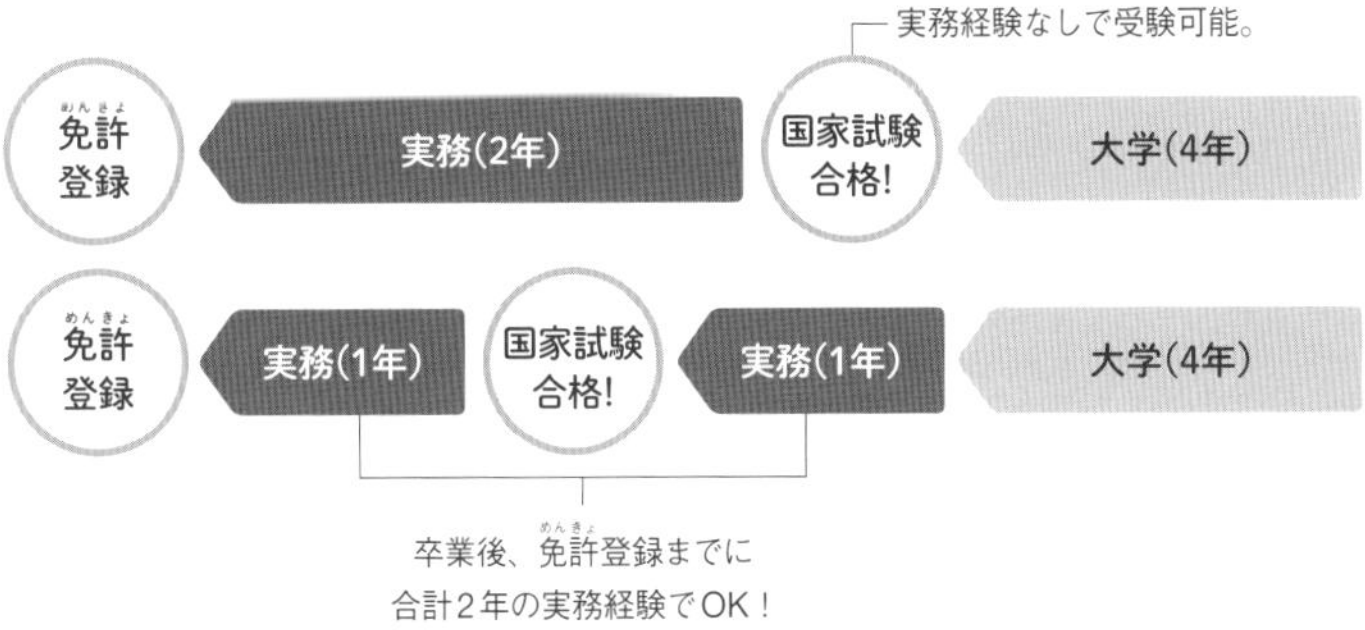

建築士免許《めんきょ》登録時の要件として、所定の実務経験が必要

建築士試験に合格後、免許《めんきょ》登録をするには、多くの場合「建築に関する実務（建築実務）」の経験が必要です。建築実務にあたる内容は、建築物の設計に関する実務、工事監理《かんり》（26ページ）に関する実務、建築工事の指導監督に関する実務など、法令によって細かく定められています。建築関係の会社に勤めていても、単なる事務などの仕事をしていた場合は、実務経験として認められません。

以前は、実務経験がないと建築士試験を受験できませんでしたが、2019年の法改正で、実務経験は「免許《めんきょ》登録時に必要な要件」に変更《へんこう》され、学校を卒業後、すぐに受験することが可能になりました。

？ 建築士になるための試験は難しいの？

建築士試験の内容

学科の試験

4つまたは5つの選択肢《せんたくし》から正しいものを選んで回答する選択式《せんたくしき》。

【試験科目】

一級建築士：計画、環境《かんきょう》・設備、法規、構造、施工《せこう》

二級建築士・木造建築士：
建築計画、建築法規、建築構造、建築施工《せこう》

↓ 合格

設計製図の試験

課題の建築物について設計製図を行う。課題は事前に公表されるが、設計条件などの詳細《しょうさい》は試験時までわからない。

【過去の課題例】

美術館の分館、健康づくりのためのスポーツ施設《しせつ》、小規模なリゾートホテル、子ども・子育て支援《しえん》センター など

※課題の建築物について、設計条件に合った平面図、配置図、断面図、面積表、計画の要点等を作成。

↓ 合格

建築士免許申請《めんきょしんせい》、登録

知識を問われる学科の試験と設計製図の試験の2本立て

建築士試験では、「学科の試験」と「設計製図の試験」が課され、両方に合格しなければなりません。先に学科の試験が行われ、合格者だけが、その後に行われる設計製図の試験を受けられます。学科の試験に一度合格すると、その年をふくめて5年以内の設計製図の試験を、3回まで受験できます。

学科の試験は選択式《せんたくしき》で回答する試験で、一級建築士では5科目125問、二級建築士・木造建築士では4科目100問出題されます。設計製図の試験では、事前に公表された課題の建築物の設計図書を作成します。試験時間は、一級建築士は6時間30分、二級建築士・木造建築士は5時間です。

建築士試験の合格者数と合格率

公益財団法人建築技術教育普及センター「試験結果」より作成

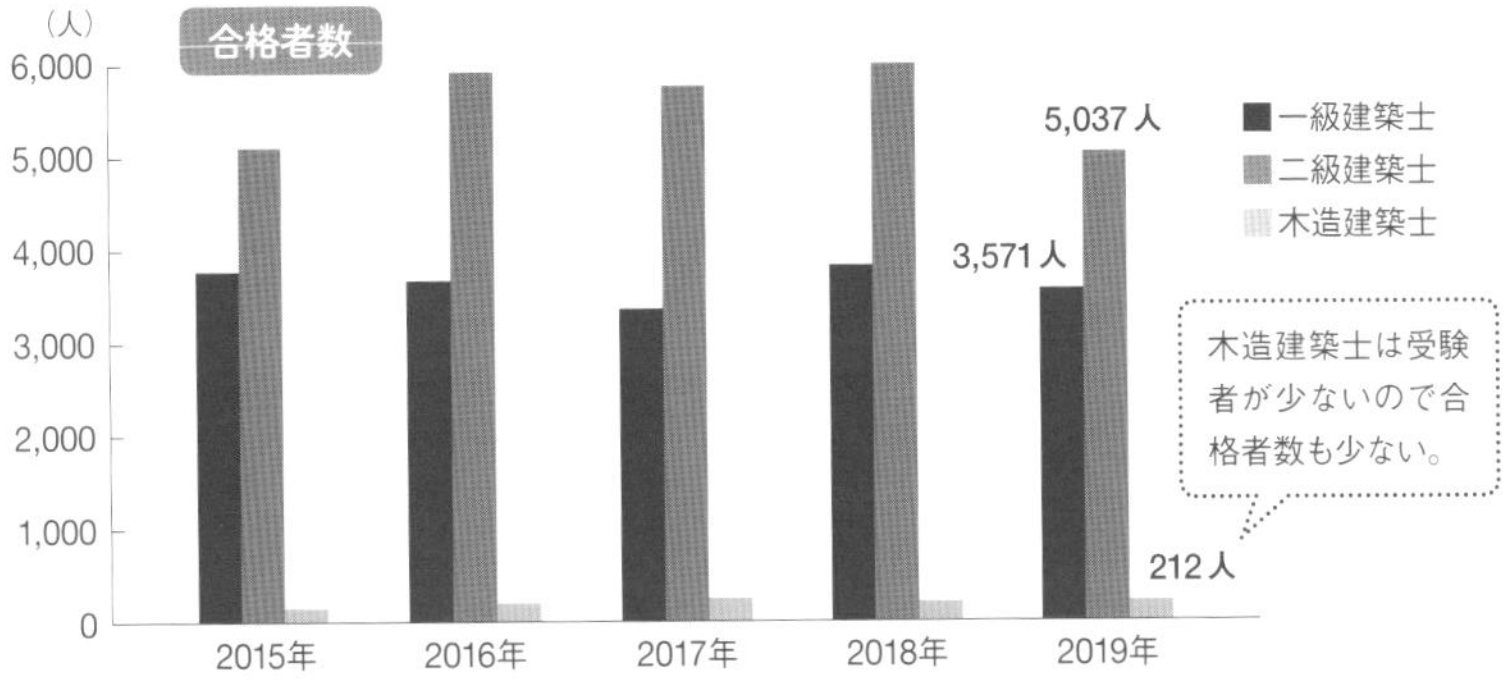

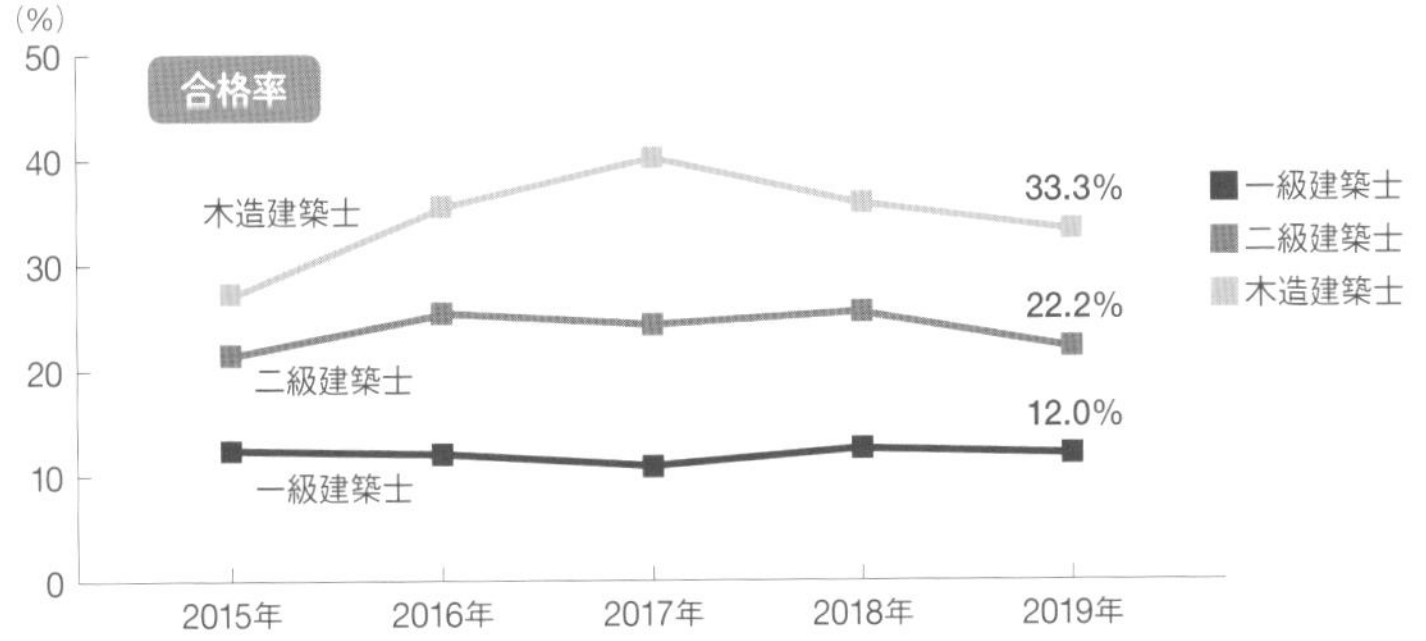

一級建築士は合格率10％強と、国家試験のなかでも特に難関！

学科の試験では、各科目の合格基準点が公表されており、全科目で合格基準点に達していることが合格の条件です。基準点は毎回異なりますが、例年、一級建築士では70％以上、二級建築士・木造建築士では60％程度の正答率が求められます。

学科の試験の合格率は、一級建築士で20％前後、二級建築士で30～40％、木造建築士で50～60％です。学科の試験をクリアして初めて、設計製図の試験に進むことができます。

設計製図の試験の合格率は学科の試験より高めですが、2つの試験をともにクリアする確率（最終合格率）は二級建築士でも20～25％ほど。一級建築士では10％を少し超える程度と、難関中の難関です。一度で合格するのはかなり難しく、何度も受験する人も少なくありません。

建築士に向いているのはどんな人?

向いている人の特徴《とくちょう》

創造性と好奇心《こうきしん》

ものづくりが好きで、さまざまなことに関心がもてる人は、建築士に向いています。建築は総合芸術であるともいわれ、芸術、文化、歴史、社会問題など幅広《はばひろ》い知識と教養が役立つ仕事です。

コミュニケーション能力

施主《せしゅ》の要望を上手に引き出して形にするには、相手の気持ちに寄りそうことが必要。チームで仕事をする機会も多いので、コミュニケーション能力はとても重要です。

責任感や根気強さ

法令をきちんと守り、人々が安全に暮らせる建物を設計することも、建築士の務め。建物の完成までは長い時間がかかることもあります。責任をもって、ねばり強くとり組む姿勢がだいじです。

建築やものづくりに興味があり、相手の立場で考えられる人

建築士になるためには、建築に関する多くの知識を身につけなければなりません。資格を得て就職してからも、勉強し続けることが必要不可欠。建築やものづくりが好きで、情熱をもってとり組めることがだいじです。

建物の設計は、施主《せしゅ》（建物の依頼主《いらいぬし》）の要望を形にする仕事なので、相手の気持ちをくみとったり解決策を提案したりするためのコミュニケーション能力も求められます。

理系科目が得意なこと、美的センスがあることも、建築士に求められる資質ですが、これらは学習や経験を通しても身につきます。建築士になりたいという強い気持ちをもって努力すれば、補うことができるでしょう。

? 中学校・高等学校でやっておくといいことはある？

いかせる科目

数学	建物の構造計算など
理科	建物の構造計算、建築材料の知識、地盤《じばん》の調査や対策など
美術	デザインやアイデアのスケッチ、立体造形、色の知識など
技術・家庭	住生活や材料に関する知識
国語	情報収集、書類作成、コミュニケーション
英語	海外の情報収集やコミュニケーション
情報	設計用ソフトの操作

数学、理科、美術などの知識が、設計やデザインを学ぶ土台に

数学や理科は、建築設計を学ぶための土台となる科目。建築士の国家試験でもこれらの知識が必要となります。中学校や高等学校でしっかりと学んでおきましょう。

美術では、構図や色彩といったデザインに関する基礎《きそ》知識を学ぶことができます。センスに関しては、生まれもったものもありますが、よい作品をたくさん見ることで、みがき上げることができます。日ごろから、有名な建築物や美術作品に興味をもち、ふれるようにに心がけることがだいじです。

そのほかに、生活に関する知識が学べる技術・家庭、コミュニケーションの基礎《きそ》である国語や英語なども役に立ちます。

? 建築士って、どのくらいいるの?

建築士の人数と建築士事務所の数

国土交通省公表資料より作成

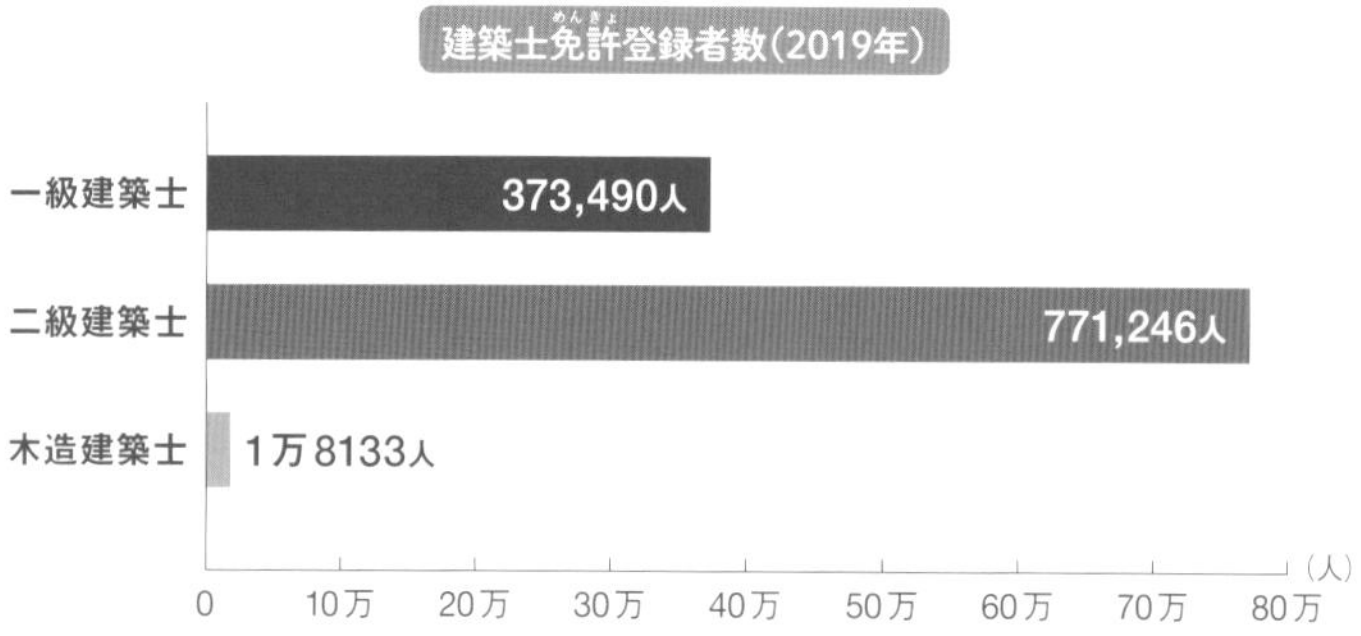

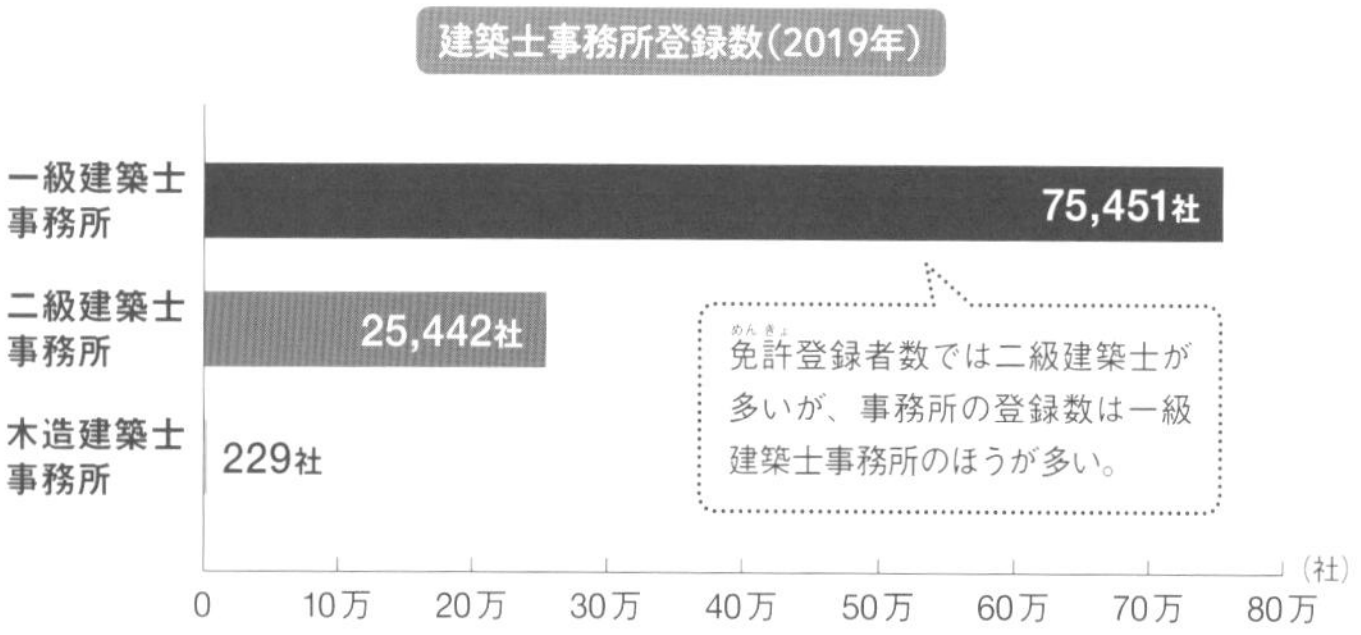

一級建築士の免許《めんきょ》登録者数は全国で約37万人

建築士の免許《めんきょ》登録をしている人の数は、一級建築士が約37万人、二級建築士が約77万人、木造建築士が約1万8000人。すべて合わせると、およそ116万人にのぼります(2019年4月1日時点)。免許《めんきょ》登録者数は、毎年、一級建築士が3500人前後、二級建築士が5000人弱、木造建築士が150人くらいずつ増えています。

ただし、免許《めんきょ》登録をしているすべての人が、今現在、建築士としての仕事をしているわけではありません。例えば、一級建築士の場合、建築士事務所に所属して仕事をしている人は14万人くらいと、免許《めんきょ》登録者数の40%程度です。

建築士試験合格者の男女別割合（2019年）

公益財団法人建築技術教育普及センター「試験結果」より作成

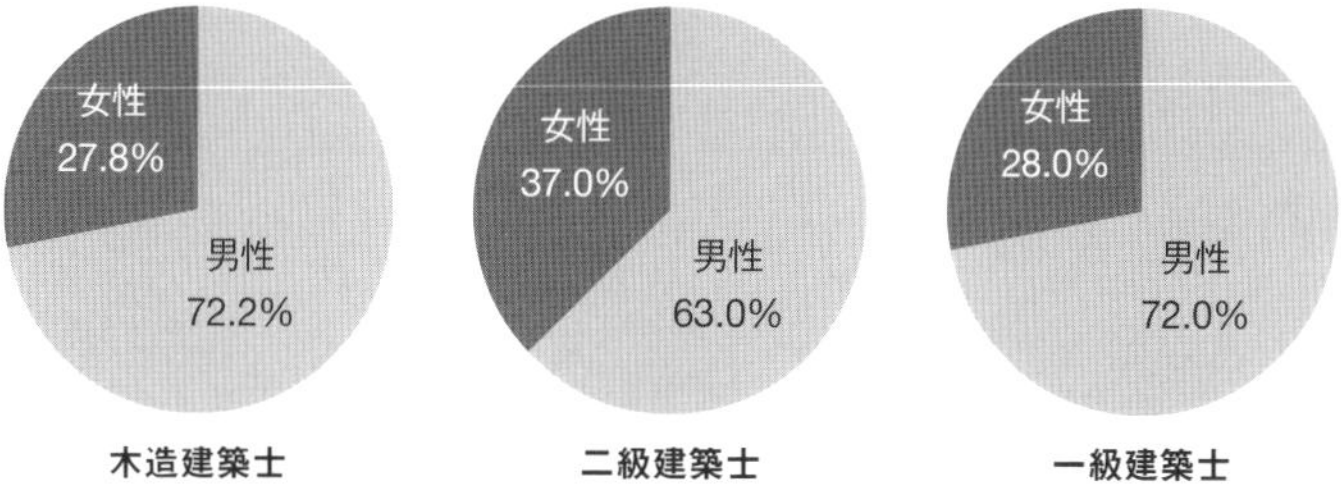

一級建築士の年齢別《ねんれいべつ》割合（2017年4月25日時点）

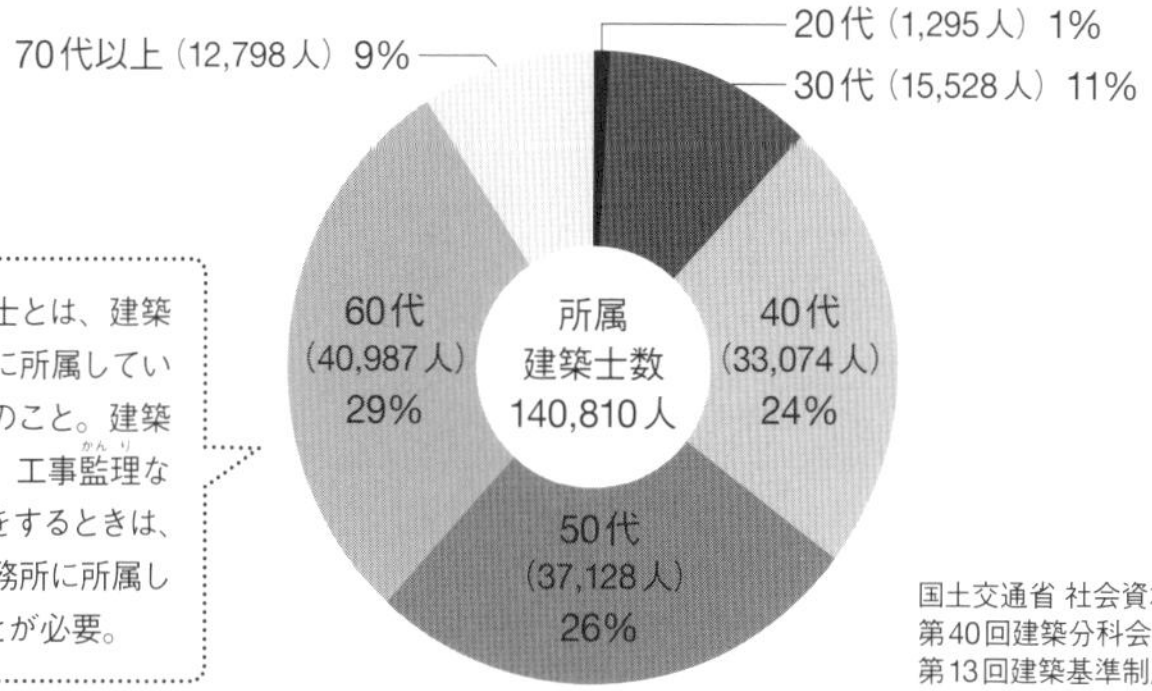

所属建築士とは、建築士事務所に所属している建築士のこと。建築士が設計、工事監理《かんり》などの仕事をするときは、建築士事務所に所属していることが必要。

国土交通省 社会資本整備審議会
第40回建築分科会・
第13回建築基準制度部会資料より

男性が多い職種ですが、近年は女性建築士も増加中

建築士が働く建設業界は、昔から男性が多い業界です。しかし、２０１４年には国土交通省と建設5団体が「もっと女性が活躍《かつやく》できる建設業行動計画」を発表するなど、女性が建設業界で力を発揮するためのとり組みが行われていることにも後押《あとお》しされ、近年、女性建築士も増えてきています。現場で働く建築士の10％程度と推測されます。

建築士試験合格者にも、女性のしめる割合が増加中です。例えば一級建築士試験では、30～40年前まで女性は合格者のわずか数％でしたが、最近では30％近くまで増えてきています。

建築士として活躍する人の年齢別《ねんれいべつ》割合を見ると、一級建築士の場合は60歳《さい》以上が約40％をしめるなど、年齢《ねんれい》の高い人が多いことがわかります。これから活躍《かつやく》できる若い人材が求められている資格といえるでしょう。

? 資格に種類があるけど、どうちがうの？

建築士の法的定義

- 「**一級建築士**」とは、**国土交通大臣の免許《めんきょ》**を受け、一級建築士の名称《めいしょう》を用いて、建築物に関し、設計、工事監理《かんり》その他の業務を行う者をいう（建築士法第2条2項）
- 「**二級建築士**」とは、**都道府県知事の免許《めんきょ》**を受け、二級建築士の名称《めいしょう》を用いて、建築物に関し、設計、工事監理《かんり》その他の業務を行う者をいう（建築士法第2条3項）
- 「**木造建築士**」とは、**都道府県知事の免許《めんきょ》**を受け、木造建築士の名称《めいしょう》を用いて、**木造の建築物に関し**、設計、工事監理《かんり》その他の業務を行う者をいう（建築士法第2条4項）

木造・二級建築士は、あつかえる建築物に制限があります

建築士の資格には、一級建築士、二級建築士、木造建築士の3種類があり、設計や工事監理《かんり》（26ページ）をすることができる建物の種類が異なります。

木造建築士は名前の通り、木造の建物のみをあつかうことができます。あつかえる建物の大きさには制限があり、階数は2階建てまで。大工などの職人が業務拡大のために取得することもある資格です。

二級建築士は、木造の建物だけでなく、鉄筋コンクリート造、鉄骨造、レンガ造などの建物も設計することができます。ただし、こちらも高さや面積などの制限があり、規模の大きな建物はあつかうことができません。

建築士の種類別の業務範囲《はんい》

建築士法第3条より作成

	木造			木造以外		すべての構造
高さ・階数 ＼ 延べ面積	高さ13m以下かつ軒《のき》の高さ9m以下			高さ13m以下かつ軒《のき》の高さ9m以下		高さ13m または 軒《のき》の高さ9m を超《こ》える
	1階建て	2階建て	3階建て以上	1階建て 2階建て	3階建て以上	
30㎡以下						
30㎡を超《こ》え 100㎡以下						
100㎡を超《こ》え 300㎡以下						
300㎡を超《こ》え 500㎡以下						
500㎡を超《こ》え 1,000㎡以下	★	★	★			
1,000㎡を 超《こ》える	★					

だれでもできる

一級・二級・または木造建築士でなければできない

一級または二級建築士でなければできない

一級建築士でなければできない

ただし、★については、学校、病院、劇場、映画館、観覧場、公会堂、百貨店などの場合は一級建築士でなければできない。

大規模な建築物も制限なく あつかえるのは、一級建築士だけ

ほかの2つの資格とちがって、一級建築士は、あつかえる建築物に制限がありません。一級建築士の資格があれば、タワーマンション、ショッピングモール、駅、競技場といった、大規模な建築物の設計や工事監理《かんり》にもたずさわることができます。逆に、仕事の内容によっては、必ずしも一級建築士でなくてもよい場合もあるのです。

資格ごとにあつかえる建物の条件については、建築士法にくわしく定められています。条件は、建物の高さ、階数、延べ面積で区切られていますが、学校、病院、劇場、映画館、百貨店など、特定の用途《ようと》に使われる建築物については、一部条件が異なります。

なお、いずれの建築士資格も国家資格ですが、一級建築士の免許《めんきょ》を発行しているのは国土交通大臣、二級建築士と木造建築士は各都道府県知事というちがいもあります。

建築士はどうキャリアアップしていくの?

必須《ひっす》の建築士定期講習などで知識や能力を日々更新《こうしん》!

建築の技術は日々進歩しています。そのため、建築士事務所に所属するすべての建築士には、3年以内ごとに「建築士定期講習」を受講することが義務づけられています。この講習は、法令や実務に関する最新情報を更新《こうしん》し、業務を実施《じっし》するのに必要な能力を確実に身につけるためのものです。

また、各都道府県の建築士会による「継続《けいぞく》能力開発（CPD）制度」という教育制度もあります。講習や研修などの認定《にんてい》プログラムに参加し、単位を積み重ねると、自分の得意分野を専攻《せんこう》領域として表示し、アピールできる「専攻《せんこう》建築士」へとステップアップすることができます。

建築士を対象とした講習・制度

建築士定期講習

建築士法により、建築士事務所に所属するすべての建築士が3年以内ごとに受講することを義務づけられている講習。国土交通大臣の登録を受けた機関が実施《じっし》する。

継続《けいぞく》能力開発（CPD）制度

建築士会による教育制度。講習や研修などの認定《にんてい》プログラムが用意されており、参加することで単位が加算される。

専攻《せんこう》建築士制度

建築士の専攻《せんこう》領域・専門分野を明示することで、建築士の責任を明確にすることを目指してつくられた制度。専攻《せんこう》領域は右の8つがあり、実務実績により3つまで示すことができる。

8つの専攻《せんこう》領域

- まちづくり
- 統括《とうかつ》設計
- 構造設計
- 設備設計
- 建築生産
- 棟梁《とうりょう》
- 法令
- 教育・研究

建築士の関連資格の例

資格名	内容	取得方法
構造設計 一級建築士	一定規模以上の建築物の構造設計や、構造関係規定への適合性の確認《かくにん》を行うことができる資格。	一級建築士として5年以上構造設計の業務に従事したあと、所定の講習を修了《しゅうりょう》する。
設備設計 一級建築士	一定規模以上の建築物の設備設計や、設備関係規定への適合性の確認《かくにん》を行うことができる資格。	一級建築士として5年以上設備設計の業務に従事したあと、所定の講習を修了《しゅうりょう》する。
建築設備士	建築設備全般《ぜんぱん》に関する知識と技能を有し、建築士に対して、高度で複雑な建築設備の設計・工事監理《かんり》に関するアドバイスを行える資格。	試験を受験。受験するには、学歴や実務経験などの条件を満たす必要がある。実務経験2年以上の一級建築士は受験資格あり。
建築施工《せこう》 管理技士	鉄筋工事、大工工事、内装仕上げ工事といった建築の専門工事を総合的にまとめる「施工《せこう》管理」を行うことができる資格。	試験を受験。受験するには、学歴や実務経験などの条件を満たす必要がある。一級建築士は学科試験免除《めんじょ》。
管理建築士	建築士事務所を管理する建築士。	建築士として3年以上業務に従事したあと、所定の講習を修了《しゅうりょう》する。
インテリア プランナー	建築物のインテリア設計などにたずさわる技術者の資格。	試験を受験。受験資格不問。一級・二級・木造建築士は学科試験免除《めんじょ》。
宅地建物取引士	宅地（建物の敷地《しきち》となる土地）や建物の売買や貸借《たいしゃく》などの取引に関して、法に定める事務を行うことができる資格。	試験を受験。受験資格不問。

上位資格や関連資格を取得して建築士の仕事にいかす人も

一級建築士の資格には、上位資格があります。一定規模以上の建築物の構造設計や設備設計を行う場合に必要な「構造設計一級建築士」「設備設計一級建築士」の資格は、一級建築士として5年以上の経験を積んだ人でなければとれない国家資格です。

空調や換気《かんき》、給排水《きゅうはいすい》、電気といった建築設備の設計・工事監理《かんり》について建築士にアドバイスを行う「建築設備士」、現場での施工《せこう》過程を管理するスペシャリストである「建築施《せ》工《こう》管理技士」なども、建築士免許《めんきょ》をもっていると取得しやすい資格です。また、独立して建築士事務所を開業するためには、「管理建築士」という資格が必要になります。

建築士免許《めんきょ》があると学科試験が免除《めんじょ》になる「インテリアプランナー」、土地や建物の取引に関する専門家である「宅地建物取引士」などを取得して、仕事にいかす人もいます。

収入はどのくらい？就職はしやすいの？

年収を比べてみると…

職種別平均収入

資格の種類、勤務先の規模や経験年数によって差があります

建築士の収入には、資格の種類によってちがいが見られます。建物の規模や種類の制限なく仕事ができる一級建築士は、二級建築士や木造建築士と比べて高収入です。

一級建築士の収入については、厚生労働省の賃金構造基本統計調査から知ることができます。2019年の調査によると、その平均年収は703万円。比較的《ひかくてき》高収入であることがわかります。二級建築士や木造建築士の場合はこれほど高くはなく、300万～500万円といわれています。

給与《きゅうよ》は勤務先の規模が大きいほど高い傾《けい》向《こう》があります。また、経験年数を重ねることで、少しずつ給与《きゅうよ》も上がるのが一般的《いっぱんてき》です。

就職のしやすさを比べてみると…

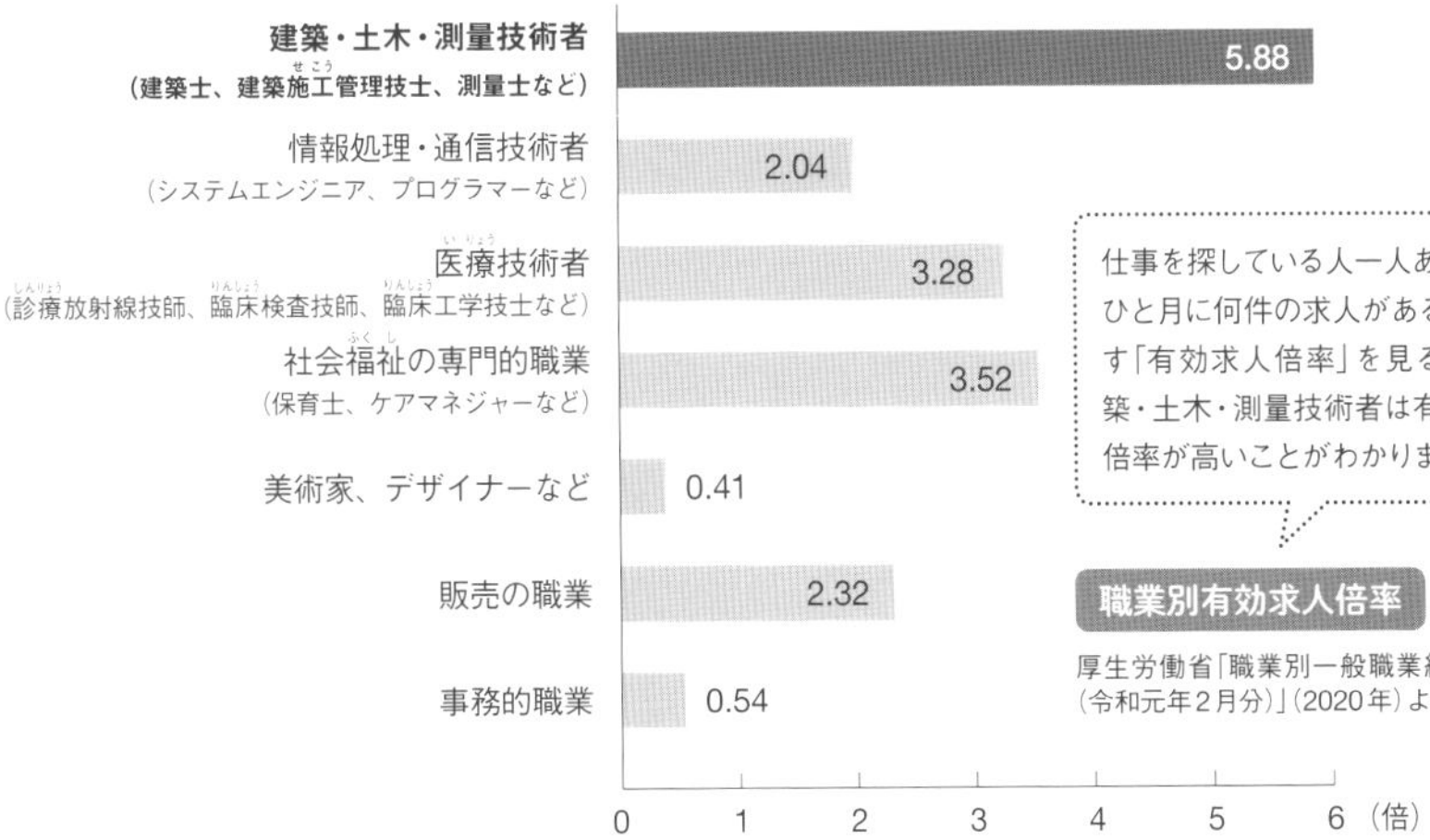

仕事を探している人一人あたりに、ひと月に何件の求人があるかを示す「有効求人倍率」を見ると、建築・土木・測量技術者は有効求人倍率が高いことがわかります。

職業別有効求人倍率

厚生労働省「職業別一般職業紹介状況（令和元年2月分）」（2020年）より

建築士の代表的な職場と仕事内容

建築士事務所

事務所によって、あつかう建築物の規模や種類はさまざま。なかには、構造設計、設備設計を専門に行う事務所もある。

建設会社

比較的《ひかくてき》規模の大きな建築物をあつかうことが多い。配属される部署によっては、現場監《かん》督《とく》として働くこともある。

住宅メーカー

住宅を専門にあつかう。設計の仕事はもちろん、営業職として働くこともできる。設計営業職として両方をかねる場合も。

いつの時代も求められる職種。資格をいかせる職場も多種多様

建物は人間が暮らしていくうえで欠かせないもの。その建築や設計にたずさわる建築士は、いつの時代も求められる職種といえるでしょう。建築関係の学校を卒業した人の就職率はおおむね高めです。

建築士の職場として代表的なものは、建築士事務所のほかに、建設会社、工務店、住宅メーカー、設備関連の会社、土地や街を開発する不動産会社などが挙げられます。国や地方自治体の公務員として、建築や都市開発に関連する部署で働くこともできます。また、設計に関する知識や技能をいかして、インテリアや家具のデザインにかかわる仕事などに就《つ》くこともできます。

このように、建築士の資格をいかせる職場の種類は多く、さまざまな形で建築や設計にたずさわることが可能です。興味や得意分野に合う就職先を探すとよいでしょう。

？ 建築士の間で今、問題になっていることは？

建築確認《かくにん》など
仕事が細分化・増加
人材確保が
難しい
空き家の活用など
まちづくりに関する課題も…

多くの問題に対応するため、建築士の人材確保が急務！

建築は人びとの生活と密接にかかわるため、社会問題や災害などがあると、建築に関する法令がたびたび改正されます。過去にニュースにもなったように、工事の偽装《ぎそう》や建築部材の不備などがあれば、検査や適切な対応も必要です。建築確認《かくにん》（19ページ）の取得にあっては、建築士としての仕事が、細分化されるとともに増加しており、人材を確保するのが難しくなってきています。そのような中でも、倫理観《りんりかん》をもって仕事にあたることが強く求められています。

また、社会問題にもなっている空き家の活用など、まちづくりに関することも、建築士のとり組むべき大きな課題です。

執筆協力：一般社団法人千葉県建築士会 会長 竹江文章

？ これから10年後、どんなふうになる？

IT技術の
さらなる発展による
業務効率化
人としての感性を
大切にする建築士が
求められる！

IT技術による効率化が進む一方、人としての感性がより重要に

データの処理はIT技術によって加速的に効率化しています。BIM《ビム》（31ページ）での設計は、今後ますます普及《ふきゅう》するでしょう。AIによる標準的な設計図の作成、内装やリフォームの3D表現による提案、デザインのVR（バーチャル・リアリティ）での確認《かくにん》なども当たり前になっていくと予想されます。

現場に行かずとも画像によって判断できたり、3Dプリンターで設計者が施工《せこう》もできたりする時代が来るかもしれません。

ロボットやドローンを利用できるような、さらなるIT技術が要求されるようになる一方で、建築士には人としての感性を大切にすることが求められるのではないでしょうか。

執筆協力：一般社団法人千葉県建築士会 会長 竹江文章

建築士の職場体験って、できるの？

職場体験でできること（例）

- 仕事について説明を聞く
- 建築設計に関する話を聞く（相談事例など）
- 設計図を見せてもらう
- 簡単な図面の作成
- 建築模型の作成
- 建設現場の見学　　など

数日間の職場体験で、設計課題にとり組む体験をさせてくれる場合もあります。課題に合わせて、それぞれがイメージする建物の図面を書いたり、模型をつくったりします。

多くの建築士事務所が職場体験を受け入れています

すべての建築士事務所が、中学生の職場体験を受け入れているわけではありませんが、かなり門戸が開かれています。

職場体験では、仕事内容の説明を受けたうえで、設計図をかいたり模型をつくったりという作業までを体験させてもらえることが多いようです。場合によっては、建設現場を見学できることもありますが、仕事相手の承諾《しょうだく》やタイミングの問題もあるので、どこでも体験できることではありません。

とはいえ、職場体験を受け入れてくれている事務所は、なるべく希望をかなえてあげたいと思っているはず。やりたいことがあれば、遠慮《えんりょ》せずにお願いしてみましょう。

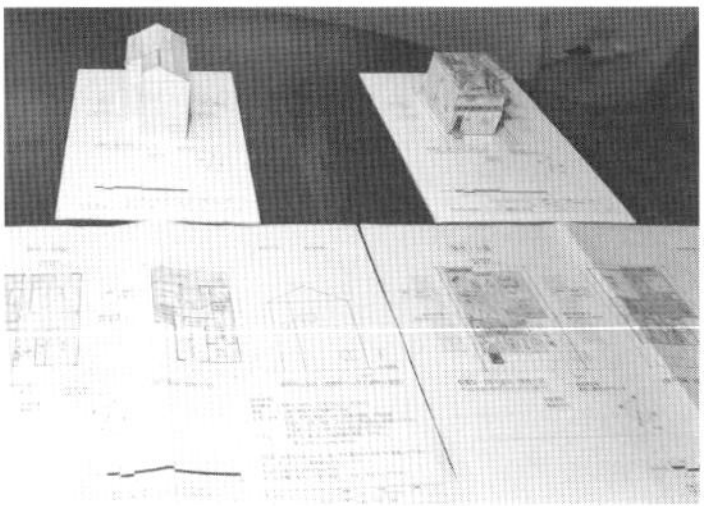

できあがった図面と模型。建築士さんや事務所の人たちに手伝ってもらいながら、自分のアイデアを形にする体験ができました。

できあがった図面と模型を示しながら、自分が考えたプランについてプレゼンテーション。くふうした点などを具体的に説明します。

写真提供：明野設計室一級建築士事務所、川崎市立長沢中学校

建築士の日

7月1日は「建築士の日」です。建築士の質と地位を向上させ、建築士の社会的な意義を広くPRすることを目的として、日本建築士会連合会が1987年に制定しました。この日に合わせて、建築に関連するイベントが各地で開催《かいさい》されます。建築物や技術の紹介《しょうかい》、建築相談会のほか、子どもを対象にした体験教室など、内容はさまざまです。

7月
1日

各都道府県の建築士会に連絡《れんらく》してみるのも一つの方法

職場体験をしたいと思っても、近くに建築士事務所がない場合もあるかもしれません。そのようなときは、工務店、住宅メーカー、建設会社なども候補に入れてみましょう。これらの中には、建築士が働いている会社もあります。

職場体験以外で、建築士の仕事についてもっと深く知りたいのであれば、「建築士会」に連絡《れんらく》をとってみるのも一つの方法です。建築士会は都道府県ごとにあり、若い世代の育成にも力を入れているので、中学生の質問にもこころよく答えてくれるでしょう。

毎年7月1日の「建築士の日」に合わせて各種イベントを開催《かいさい》している建築士会もあるので、それに参加してみるのもよいかもしれません。イベント内容は地域や年度によって異なるので、ホームページなどで調べて事前によく確認《かくにん》してください。

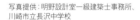

索引

あ

か

さ

な

は

た

ま

ら

●取材協力（掲載順・敬称略）
一級建築士事務所 株式会社がもう設計事務所
鹿島建設株式会社
タマホーム株式会社
愛知県建築局建築指導課
有限会社大滝建築事務所
株式会社フォーラム　フォーラムデザインワークス一級建築士事務所
日本大学理工学部
一般社団法人千葉県建築士会

編著／WILL《ウィル》こども知育研究所《ちいくけんきゅうじょ》
幼児・児童向けの知育教材・書籍の企画・開発・編集を行う。2002年よりアフガニスタン難民の教育支援活動に参加、2011年3月11日の東日本大震災後は、被災保育所の支援活動を継続的に行っている。主な編著に『レインボーことば絵じてん』、『絵で見てわかる はじめての古典』全10巻、『語りつぎお話絵本 3月11日』全8巻(いずれも学研)、『見たい 聞きたい 恥ずかしくない！ 性の本』全5巻、『やさしく わかる びょうきの えほん』全5巻、『ごみはどこへ ごみのしょりと利用』全3巻(いずれも金の星社)、『？(ギモン)を！(かいけつ)くすりの教室』全3巻、『からだのキセキ・のびのび探究シリーズ』全3巻(いずれも保育社)など。

暮《く》らしを支《ささ》える仕事《しごと》 見《み》る知《し》るシリーズ
建築士《けんちくし》の一日《いちにち》

2020年7月20日発行　第1版第1刷©

編　著　WILL《ウィル》こども知育研究所《ちいくけんきゅうじょ》
発行者　長谷川 素美
発行所　株式会社保育社
〒532-0003
大阪市淀川区宮原3－4－30
ニッセイ新大阪ビル16F
TEL 06-6398-5151
FAX 06-6398-5157
https://www.hoikusha.co.jp/
企画制作　株式会社メディカ出版
TEL 06-6398-5048（編集）
https://www.medica.co.jp/
編集担当　中島亜衣
編集協力　株式会社ウィル
執筆協力　松本園子／川崎純子／清水理絵
装　幀　大薮胤美（フレーズ）
写　真　向村春樹
本文イラスト　米光マサヒコ
印刷・製本　株式会社シナノ パブリッシング プレス

ISBN978-4-586-08623-8　Printed and bound in Japan
乱丁・落丁がありましたら、お取り替えいたします。

消防官
（消防隊員）
パイロット
消防署
警察官
交番
KOBAN
検察庁
検察官
建築士
学校
教師
司書